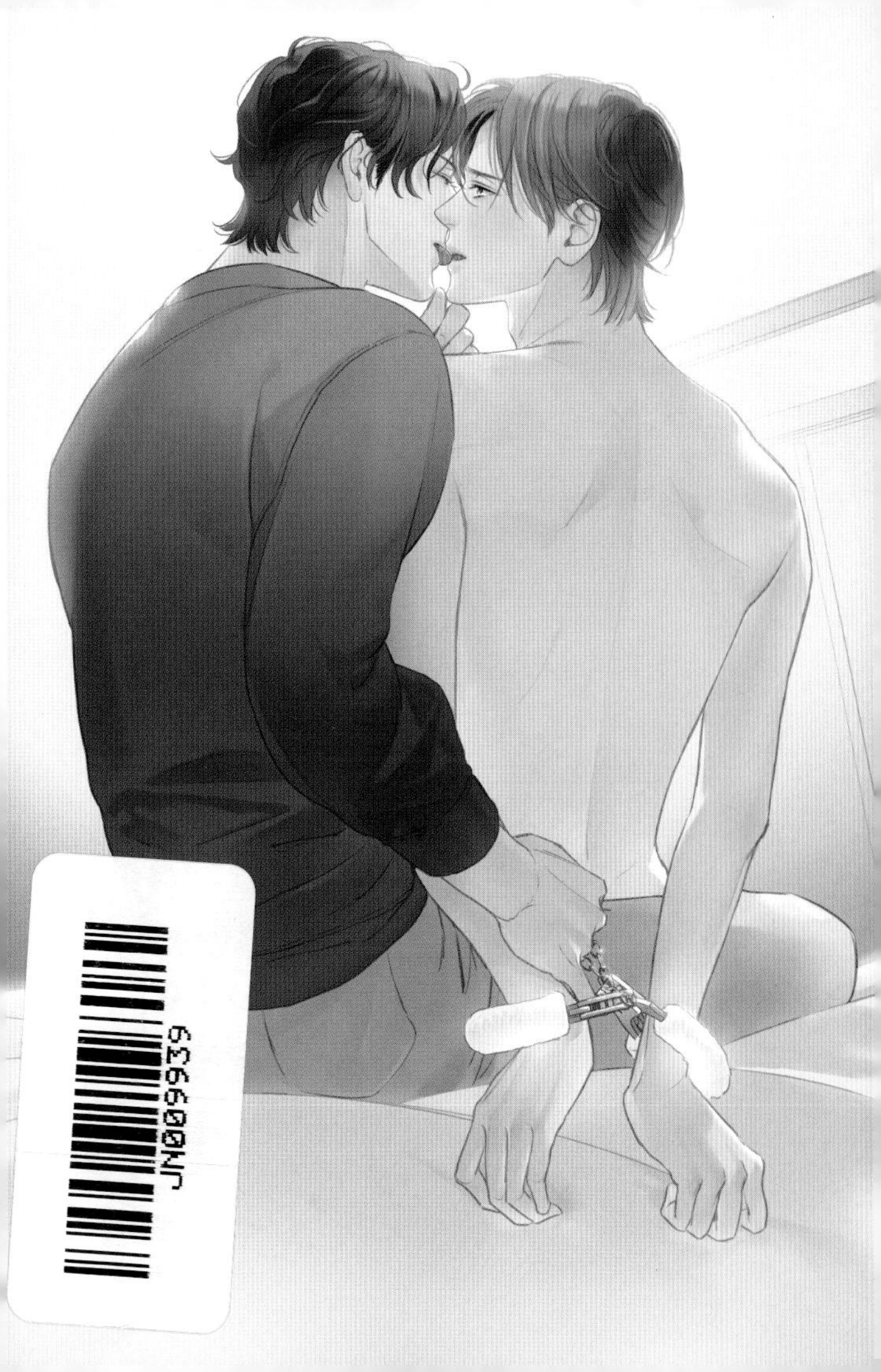

僕は王様おまえは下僕

Yuyu Aoi
葵居ゆゆ

CHARADE BUNKO

Illustration

一夜人見

CONTENTS

荒い息遣いが寝室に満ちている。

それが自分のものだと意識して恥じる理性は、とうに残っていなかった。

今まで味わったことのない、深い快楽で脳が蕩《とろ》けそうだ。

陥落すまい、とあれほど思っていたはずが、落ちてしまいそうなほど――否、もう落ちてしまったのかもしれない。複雑な色を持つ瞳に魅入られたように、この部屋についてきたときから。

煌《きら》めく瞳で瑛介《えいすけ》を見下ろし、いい子になれるよ、と花南《かなん》は歌うように言った。

「俺だけの、健気で可愛《かわい》い瑛介さんになろうね」

じゅぽじゅぽ音はするのに、おかしくなるほど気持ちいい行きどまりまでは切っ先が届かない。それどころか浅いところまで抜けていき、瑛介はぶるぶると震えた。達《い》きたい。突いてほしい。もっと強く、抗《あらが》えないほど激しく攻めてほしい。

「ん……っ、ふ、……ぅ……っ」

「言ってみて」

花南が微笑《ほほえ》んだ。

「種つけして達かせてくださいって、おねだりして」

「――、う、……っ」

どっと涙が出て、瑛介は乾ききった唇を舐《な》めた。火をともしたように身体《からだ》の芯に熱があり、焦燥に似た気分と同時に、これ以上ないほどの安らぎも感じる。

――ずっと、これがほしかった。

午後十時。九月ともなると、この時間はさすがに風が涼しい。

『ねえ、なんでだめなの？　えいちゃんの帰国とお誕生日のお祝いがしたいんだってば』

駄々っ子みたいな従弟《いとこ》の楓《かえで》の声に、神奈木《かんなぎ》瑛介は辟易《へきえき》してスマートフォンを耳から遠ざけた。

「お祝いは今言ってもらったからもういいよ」

『よくないってば！　ぼく、えいちゃんともう一年も会ってないよ？』

「年末に帰省したときに会っただろう。まだ九か月だ」

『だから、九か月も会ってないでしょ！　えいちゃん、フランスにいるあいだ全然連絡くれなかったし。忙しいのはわかってるけど、可愛いぼくに電話くらいくれてもいいのに』

可愛いとか自分で言うからだよ、と言いそうになるのを、瑛介は呑《の》み込んだ。実際、モデル兼俳優をしている楓は昔から綺麗《きれい》な顔立ちで、可愛いと持て囃《はや》されてきた。性格も素直で自由で、そこにいるだけで愛される、みんなのアイドルだった。

『ね、明日は？　ぼく、オフなんだ。パパとママもえいちゃんに会いたがってるよ』

「帰国してすぐだからいろいろ忙しいんだ。落ち着いたら連絡するから。――友達を待たせてるんだ、悪いけど切るよ」

強引に会話を終わらせて、瑛介はため息をついた。

本日九月六日、瑛介は二十九歳になった。この歳《とし》になると誕生日はべつにめでたくなく、むしろ気が重い。来年は三十だ、と思えば「このままではいけない」と焦るばかりだ。順調と言っていいのは仕事だけという現状にため息が出て、背後のバーのドアを振り返った。

楓には嘘《うそ》をついたが、待っている友達などいない。大学の先輩が営むバーにひとりで飲みに来ただけだ。薄暗い店内に戻ると、日に焼けた身体に黒いタンクトップを着たマスターの玉木《たまき》が視線をよこした。以前は彼だけで切り盛りをしていたが、人を雇ったらしく、端の洗い場ではマスク姿の若い男性が、黙々と作業している。

「電話、大丈夫だった？　お仕事？」

「ううん、従弟。帰国したの言ってなかったから、拗《す》ねてて」

「ああ、たしか家族ぐるみで仲がいいんだっけ？　可愛いじゃない」

がっしりと逞《たくま》しい腕を伸ばして、マスターは瑛介のウイスキーグラスを取った。

「三十分も話してたから、薄くなっちゃったでしょ。足してあげる」

ウインクする仕草も、低い声でのやわらかい話し方も、初対面の人は驚くかもしれない。大学時代にはもう少し男性的に振る舞っていた玉木は、店をはじめてから無理をするのをやめたようで、昔より伸びやかに見える。瑛介は礼を言ってグラスを受け取り、頬杖《ほおづえ》をついた。

「玉木先輩は、ずいぶん変わったよね」

「なによ、老けたって言いたいの？　これでもまだもてるんですけど」

「違うよ。自然体に見えるから、よかったなって」

「あら、ありがと」

ふふ、と笑った玉木が瑛介の顔を一瞥《いちべつ》する。

「瑛介はあんまり変わらないわよね。顔はクールビューティーのままだし、この子は会社に入っても優秀に働いちゃうんだろうなって印象どおり、オーガニックコスメの会社に入って、フランスの本社に行っちゃうんだもの。すっごく瑛介っぽい」

礼を言うのもおかしな気がして、瑛介は曖昧に笑って酒を口に含んだ。生まれつき茶がかった髪と、日焼けしづらい白い肌、ほっそりした顎といったパーツは、中性的で清潔な印象を与えるらしい。薄い唇とややまなじりの上がった瞳のかたちで、黙っていると冷たく近寄りがたく思われてしまうのが、広報という仕事では困りものなのだが、細身で均整のとれた身体つきもあわせ、綺麗だと褒められることも多い。最近では年齢より若く思われることが多くなった。

　けれど、瑛介自身は中途半端な自分の容姿があまり好きではなかった。いっそのこともっと可愛らしければ諦めもついたし、できることなら見るからに男性的な、玉木のような外見がよかった。

（……せめて、性格が先輩みたいだったらな）

　玉木には玉木の苦悩があると知っているから、安易に羨ましいなどとは言えないが、正直、彼のようになりたい。完全に変わることはできなくても、たとえば月に一度とか――恋人の前で本性をさらけ出せたら、きっと楽だ。

　無意識のうちにため息をついたのか、料理をしていた玉木が手をとめた。

「ちょっと瑛介、大丈夫？　顔色が悪いわよ」

「平気だよ。照明のせいじゃない？」

「来たときから元気なかったもの。あんた、大学のときもよく体調崩してたわよね」

「仕事が忙しいだけだよ」

　首を横に振ったが、玉木は眉をひそめると、鍋の蓋を開けて器によそい、瑛介の前に差し出した。湯気を立てているのはシチューだ。

「食べて。具合よくないときにハーフロックにつまみもなしなんて、身体に悪いわ」

「疲れてるだけだってば。それに、腹はすいてないよ」

「いいから黙って食べなさい。瑛介ってしっかりしてるくせに、自分のことには無頓着よね」

ほら、とスプーンを手渡され、瑛介は諦めて口に運んだ。ふわりとミルクの香りが広がり、やわらかくなったじゃがいもの甘みが染み渡る。

「……これ、先輩が作ったの？」

「そうよぅ、おいしいでしょ。この時期は夏の疲れも出るし、冷房で身体が冷えてるから、意外と煮込み料理もいいの」

玉木は奥を振り返り、「マチくんも、手があいたら食べてね」と声をかけた。半分こちらを向いた洗い場の男が無言で頷《うなず》き、すぐに作業に戻る。寡黙な青年らしいのが、瑛介にはありがたかった。ここは瑛介にとって数少ない、少しだけ本音を言える場所なのだ。

「大学のときは、先輩が料理上手だなんて全然知らなかったな」

「あたしだって、あんたのこと人あたりのいい可愛い後輩だと思ってたわ。セクシャリティ以外はお互い知らなかったってこと」

玉木はにやにや笑う。彼も瑛介もゲイだ。玉木は同性の恋人がいることを隠さなかったので、瑛介も彼には打ち明けていた。ゲイであることは、大学のころには諦めがついていた。

「八方美人のくせに、頑固で意地っぱりなのよね、瑛介は。理想は高すぎるし。うちに恋人を連れてきたのは三回で、みんな可愛かったのに、全然長続きしないなんてねえ」

「先輩だって、大学のときは長続きしてなかったでしょう」

「あたしは自分に正直なだけよ」

ひらりと手を振った玉木は、ふっと真面目《まじめ》な顔をした。

「瑛介は逆じゃない？　人に頼まれると断るのが苦手だから、女性とも好みじゃない相手ともつきあっちゃう。自分の気持ちに正直じゃないおつきあいだから、うまくいかないのかなって思ってるんだけど」

瑛介は黙ってウイスキーを飲んだ。玉木の言うことは当たってはいないが、「自分の気持ちに正直じゃない」という言葉は耳に痛かった。正確には、気持ちではなく身体に正直になれないから、誰とつきあっても長続きしないのだとわかっている。

だが、どうしても認めたくなかった。自分がＳｕｂ——命令に服従し、庇護《ひご》されたい性なのだと。

性的マイノリティをＬＧＢＴＱＤＳ、と称するようになって十年以上が経《た》ち、Ｓｕｂは恥ずかしい、などと口にすれば差別ととられる世の中だが、瑛介には恥としか思えない。

ＤとＳ、つまりＤｏｍとＳｕｂは自認によるほかのセクシャリティとは異なり、「ダイナミクス」という体内物質の有無によって決定する。Ｄ-ダイナミクス保有でＤｏｍに、

Ｓ－ダイナミクス保有でＳｕｂに、両方を持っていればスイッチ、保有していなければニュートラルと呼ばれる。生物学上の男女の区分に近いのだが、ＤｏｍとＳｕｂの関係性がＳＭプレイのマスターとスレイブに近いことから、Ｓｕｂは日常生活でも弱者に見られる風潮が根強く残っている。Ｄｏｍは命令したり、あるいは守ったり世話を焼いたりすることで相手を支配し所有したい性で、Ｓｕｂは命令に従ったりすべてを委ねたりすることで、安らぎや満足感を覚える性なのだ。

　こうしたＤｏｍの支配欲求や庇護欲求、Ｓｕｂの服従欲求は、食欲や睡眠欲に近いものとされていて、満たされなければ心身に変調をきたしてしまう。だが、瑛介も十六歳でダイナミクスの判定を受けるまでは、Ｓｕｂは惨めな存在だと思っていた。

　ダイナミクスの保有者は全人口の五パーセントほどと言われており、自分はただのニュートラルか、でなければＤｏｍだろうと信じていたのに、検査結果を見た瞬間の打ちのめされた気分は忘れられない。

　優秀だと評判で、両親以外の大人受けもよく、同級生からも頼りにされる自分が、他人の命令に従いたい、隷属を望む性のはずがない。スイッチだとよく誤判定が出るというから、きっと真正のＳｕｂじゃない、と己に言い聞かせて、高校から今まで生きてきた。

　ダイナミクスの結果はプライバシーに配慮し、結果が本人にしか知らされない。ＬＧＢＴＱと並べて語られるようになり、差別をよしとしない空気が広がった現在では、自分のダイナミクスを公表する人も増えたが、瑛介は家族にすら打ち明けなかった。

公表には、自分の健康を守りやすくするというメリットがある。Ｓｕｂはとくに、日常生活においてもＤｏｍの影響で身体的な反応が起こることがあるからだ。たとえば上司がＤｏｍだった場合、意図せずにきつい言葉を投げられたり、グレア——Ｓｕｂにだけ通用する覇気のようなものにあてられて萎縮してしまい、過呼吸を起こしたり、失神したりすることもありえる。Ｄｏｍもまた、無意識にグレアを放出したり、他者からパートナーを守ろうと過剰な防衛に走ることがあるため、職場などではダイナミクスをオープンにするのが望ましいと言われている。

瑛介も、頭ではわかっているのだ。Ｓｕｂかどうかは生物的な特徴であり、悪いものでも変態なのでもない。よく頭痛がするのも貧血のようにふらついてしまうのも、風邪を引きやすいのも、ダイナミクスが安定しないせいで、正しいパートナーがいれば不調が改善することも知っている。

それでもまだ認めたくなくて、一度もＤｏｍのパートナーを持ったことはない。恋人は全員ニュートラルで、瑛介は常にリードして抱く側だった。

帰国したら上司がＤｏｍだったのは、不運としか言いようがない。彼女はダイナミクスを公表しており、瑛介がＳｕｂだと一目で気づいてしまった。みんなの前で言うことはさすがになかったが、会議室に呼び出されてこう言われた。

「私はパートナーがいるから、無意識にグレアを発してしまうことはないと思う。でももし具合が悪くなったり、やりづらかったりしたらすぐに言って。あなたは本社での評価もよかったし、ダイナミクスのせいで退職してほしくないんだ。できればみんなにも神奈木くんがＳｕｂだと伝えておいたほうがいいと思うけど……それはいやなんだよね？」

　できません、と答えると、じゃあ自分で気をつけて、と言われて終わったが、これから先彼女と仕事をしていくことを考えると、どうしても緊張してしまう。おかげでこの一週間は疲れがひどく、悩んだ末に玉木のバーに愚痴りに来た、というわけだ。

　ダイナミクスのことは言えなくても、ゲイ仲間の玉木になら言えることはある。

「玉木先輩はさ。今までと違うタイプの恋人とつきあってみたことはある？」

　飲み干したグラスを差し出すと、受け取った玉木は首をかしげた。

「違うタイプ？」

「受か攻かってこと」

「ああ、そういうこと？　あたしは好きになった相手によるからなあ。どっちかって言ったらしてもらうほうが好きだけど。瑛介は攻専門なのよね？」

「……そう、だったんだけど」

　どういう言い方ならＳｕｂだとばれないだろう、と逡巡《しゅんじゅん》して、瑛介は店内に目を走らせた。奥の二人客はカップルのようで、こちらを気にしていない。バイトの青年は背を向けたまま手を動かしていて、聞こえていたとしても会話に参加する気はないようだ。玉木の知り合いだからと気を使ってくれているのかもしれない。それでも一応、声を低める。

「……誰にも言ったことないんだけど。僕――セックスの最中に、泣くことがあって」

快感で、というより、もどかしさで涙をこらえられないことがあった。セックスのときは、普段よりも感情の制御がきかなくなってしまう。

「へえ？」

一瞬目を見ひらいた玉木は、すぐになんでもない表情に戻って、「それで？」と促してくる。手早く作ってくれたおかわりのウイスキーを受け取って、瑛介は氷を見つめた。

「やってる途中で泣かれると冷めるって言われてから、うまくいかないことが多くて。やっぱり年下の子だと、年上の彼氏には包容力とかかっこよさとかほしいのはわかるから、次は年上の人とがいいのかなって考えてて」

「年上か年下かってそこまで重要じゃないんじゃない？　エッチしながら泣いても受け入れてくれる子だっているでしょ」

「――それは、そうだけど」

「でもまあ、わかるわ。若い子だと自分を掘ってる男が泣くのはいやかもね。いっそ瑛介が抱いてもらう側になるのは？」

「実は一回試したんだよ」

冷たいグラスを弄《もてあそ》び、瑛介は思い出したくない記憶にうなだれた。

「会社の人で、年上で、いいかもと思って試したけど、ベッドでのしかかられてるうちに絶対無理だってなって、やめようって言ったらキレられた」

「……瑛介って男運ないタイプだったのね」

玉木が同情する目つきで肩を叩《たた》いてくれた。

「試してみたのはその一回でしょ？　世界の約半分は男なんだから、うまくいく相手も見つかるわよ」

「だといいけど」

相手が男なら誰でもいいわけじゃない。自分が抱く立場なら、たとえ好みでなくてもできることも多いが、抱かれる側になるならそれ相応の相手でなければ無理だ。少なくとも、貫かれながら泣くところを見られてもいい、と思える程度に、信頼でき、尊敬でき、人間としての器量や社会的地位を伴っている男でなければ。

「——受ける側ってさ、なんか屈辱的でしょう」

呟《つぶや》くと、玉木はいやな顔をした。

「瑛介って、そんな考え方してるの？　まさか今までの恋人のことも、心の底では『こいつ抱かれてる』って馬鹿にしてたわけ？」

「いや……そんなことないよ。ほかの人はいいんだ。ただ、僕が抱かれるのはちょっとなあって思うだけで」

「同じことじゃないの。自分ならできないって思うってことは、他人がしてても馬鹿にしてるのよ」

呆《あき》れた表情で、玉木は瑛介の額をつついた。

「そういう考えが透けてるから、泣いたくらいで冷める相手としかつきあえないんじゃないの？　瑛介だって三十近いでしょ、今後寂しい思いをしたくないなら、ちゃんと敬意を持ってつきあえるように、考え方も変えていったほうがいいと思うわ」

「先輩、きついなあ」

　苦笑したけれど、長続きしないのは自分のせいだという自覚はあった。ニュートラルを抱くセックスで、瑛介は一度も満足したことがない。いつもどこかに焦燥のような感覚が残り、同じ相手と回数を重ねるごとに苦痛が増していく。満たされなさに涙がこぼれて、相手にも気まずい思いをさせるのでは、関係が続くはずもなかった。

　でも、Ｓｕｂだと打ち明けて恋人を作る気にはまだなれない。

　二杯目のウイスキーをぐっと飲み干して、瑛介はため息を隠した。

「まあ、しばらくは仕事に集中するつもり。これでも一応、本社帰りってことで期待してもらってるから」

　勤め先のオーガニックコスメの会社は、フランス本国では順調だが、日本では横ばいの成績が続いている。販売戦略だけでなく広報についても見直しをはかるため、瑛介に帰国しないかと声がかかったのだ。上司と寝ようとして失敗した直後でありがたいタイミングだったが、逃げ帰ってきた負け犬には見られたくない。半年後の査定では昇進を目指したかった。

「ちゃんと成果出さないとね」

「頑張るのはいいけど、体調には気をつけなさいよ。痩せたみたいだし、顔色もほんとによくないわ」

「玉木先輩、親みたいだよね」

真顔で心配してくれる玉木にできるだけ朗らかに笑ってみせ、瑛介は席を立った。会計をすませて外に出て、時計を確かめる。十時半。平日だが、界隈はこれからが賑《にぎ》わう時間で、先ほどよりも人通りが多い。一瞬、知らない店にでも入って一晩かぎりの相手を探そうか、と考えかけ、諦めて歩き出した。

どうせ、抱こうとしてもうまくいかないか、ことがすんでも虚《むな》しさが残るだけだ。どうしても性欲を満たしたいという気分でもなかった。

ただ、少しだけ寂しい。

心から好きだと思える相手もなく、二十九歳になった。結婚願望はそれほどないが、生涯ひとりでいいと望むタイプではないので、長く連れ添えるパートナーがほしかった。ほんのときどき、年に一度でもいい、弱音をはいたときに抱きしめてくれる誰か。瑛介はよくやってるよ、と褒めてくれて、たくさん愛情を向けてくれ、笑顔で無茶ぶりの仕事をこなしたりしなくても、好きだと言ってくれる相手がほしい。

　ありのままの瑛介を、「特別」にしてくれる人。

（……こんなＳｕｂみたいなこと、考えたくないのに）

　下唇を噛《か》んで甘えた欲求を振り払い、駅に向かおうと足を踏み出したとき、背後でドアが開いた。忘れ物でもしたのを玉木が持ってきてくれたのかと振り向いて、瑛介は目を瞠《みは》った。

「まっすぐ帰りますか？」

　立っていたのは、奥で洗い物をしていたアルバイトの男性だった。キャップにマスク、眼鏡《めがね》姿で、顔はほとんど見えない。背は一八〇はあるだろうか、瑛介よりも五センチほど高かった。忘れ物を届けにきた雰囲気ではなく、瑛介は用心深く一歩下がった。

「帰るけど――なに？」

「よかったらつきあってもらえませんか？」

「飲みたい気分じゃないよ。きみ、バイトだろう？　閉店前に出てきていいの？」

「今日は早上がりなので。つきあうっていうのは、今晩一緒に飲みたいっていう意味じゃないです」

マスクをしていても、彼が微笑むのがわかった。

「あなたと、恋人としておつきあいしたいんです」

驚きはしなかった。それなりに整った外見のせいで、こんなふうに声をかけられることもときどきある。

「きみ、いくつ？」

「二十五になりました」

「だよね。じゃあだめ。次は年上がいいんだ」

背を向けると、手首に指が絡みついた。力は強くなかったが、どうしてかぎくりと身体が竦《すく》み、もう一度振り返る。男は眼鏡越しにじっと瑛介を見つめていた。

「どうして年下じゃだめなんですか？　俺、あなたがセックス中に泣いても全然いいです」

「……先輩との会話、聞こえてたんだ」

瑛介は手を振り払った。

「悪いけど、今夜は抱いてあげる気分じゃない。セックスしたいならほかを当たりなよ」

「抱いてほしいとは言ってないです」

一歩近づいた男から逃げようと後退《あとずさ》ると、アスファルトと靴底がこすれて音をたてた。

うなじがちりちりと粟立《あわだ》つ。男の瞳が煌めいて見え、それがどこか恐ろしい。深く吸い込

2F
3F 82席

まれるような色だ。

「俺、瑛介さんとなら絶対やる側がいいので」

「……僕は、抱かれるのは、」

「本当は組み敷かれたいでしょう?」

抵抗しようとした声を遮られ、ひくりと肩が揺れた。ほとんど見えなくても端整だとわかる顔が近づいてくる。

「俺なら好きなだけ泣かせてあげるし、いっぱい褒めて、ぐずぐずに溶かして幸せな気分にしてあげるよ?　神奈木瑛介さん」

「——!」

褒めてほしいなんて話は玉木としていない。それに、フルネームをなぜこの男が知っているのか。背筋が冷たくなって、瑛介はかろうじて睨《にら》み返した。

「きみは、誰だ」

「ああ、そういえば、会うのは三回目なのに、名乗るのは初めてだね」

にこりと微笑んで、彼は瑛介の腰に手を回した。

「俺は町谷《まちや》花南っていいます。瑛介さんのことは、三年前からずっと探してたよ」

覗《のぞ》き込むように近づいた瞳が深く煌めく蒼《あお》——宇宙のような色と輝きをしていることに気づいて、脳裏に仄暗《ほのぐら》い店内の光景が蘇《よみがえ》った。

三年前の六月、瑛介はフランスに来たばかりだった。

言葉にもコミュニケーション能力にも自信はあったが、本社は海外支社の人間にあまり優しくないと聞いていたから覚悟していた。けれど、待っていたのは想像以上によそよそしい空気だった。同僚には馬鹿にされ、上司にはちくちくと嫌味を言われる。フランス語は得意なつもりでいたが、同時に話されたり早口だったりすると聞き取れないこともあって、まごつくとあからさまにいやな顔をされた。

赴任して三日目でストレスがピークに達し、瑛介はふらつく身体をおしてバーに出かけた。日本を発《た》つ前から万全ではなかった体調を少しでもましにしたくて、もしいいＤｏｍがいたら一晩だけ相手をしてもらうつもりだった。自分のダイナミクスを認めたくはないが、倒れて会社の同僚にうんざりされるほうがいやだったのだ。

だが、ＤｏｍもＳｕｂも数は多くない。結局見つからず、声をかけてきた若いニュートラルと、セックスだけでもしようとレストルームに行ったが、ろくに勃《た》たずに失敗に終わり、瑛介は諦めの境地でカウンターの端に戻った。せめて酔って帰ろう、とウイスキーを頼むと、隣に綺麗な青年が座った。

「こんばんは。ひとり？」

金髪に緑っぽい目の、若い男だった。アジア系の顔立ちだがフランス語は流暢《りゅうちょう》で、甘さを帯びた低い声がなめらかに響く。愛想よく微笑んだ顔はけっこう好みだった。眉も鼻筋もすっきりとして、唇はほどよい厚みでやわらかそうだ。輪郭は男性的だがいかつすぎず癖がない。切れ長の目が印象的で、瞳は角度によって色が変わり、ぞくりとするほど色っぽかった。

美しいが威圧感のない雰囲気はニュートラルのものだ。体調さえよければ抱いてみたかったけれど、失敗したばかりで挑む気にはなれず、瑛介は視線を逸《そ》らした。

「ひとりだけど、相手を探してるならほかをあたって」

「セックスしたいわけじゃないよ」

くすくす笑った青年は自分のジョッキを見せた。半分ほどになったビールを揺らして、瑛介のグラスにぶつける。

「振られたみたいだから、やけ酒するのに友達がいたほうがいいでしょ」

「……見てたの？」

「誘われてトイレに行って、相手が怒った顔で出てくるところまでね」

全部見てたんじゃないか、とふてくされて、瑛介は酒を飲み干した。おかわりを頼み、飾りのほどこされたカウンターの端を眺める。

「やけ酒はひとりのほうがいいよ。みっともないところをさらす趣味はない」

「そう？　誰かと話してたほうが、悔しいのとかムカつくのとか薄れない？」

青年はのんびりしたペースでビールを飲んだ。盗み見た横顔は顎から喉のラインが綺麗で、飲むのにあわせて動く喉仏が色っぽい。横目でこちらを見る仕草も、淡い微笑みも、人を惹《ひ》きつける磁力に溢《あふ》れている。

「……きみは友達が多いんだろうね」

「あなたは少ないの？」

瑛介はバーテンダーの置いたグラスを取り、日本語で呟いた。

「たぶんいないよ」

本当の意味で友人と呼べる相手はいない。会えば話す人も、優しいと評してくれる人もいたけれど、大学を卒業すると当時の「友人」とはすぐ疎遠になった。中学でも、高校でもそうだった。場所が変わればなくなる程度のつきあい。人あたりがよくすぐ頼み事を引き受ける瑛介は、便利なだけの存在だったのだろう。

社会人になってからは、食事に行く同期や先輩はいても、「友達」ではない。唯一今でも交流があるのは大学の先輩だった玉木だが、彼は友達というより同志のようなものだ。

同僚の女性が噂《うわさ》しているのを聞いたことがある。「神奈木さんてさ、仕事もできるし親切だけど、ちょっとよそよそしいよね」「わかる。たまに相手にされてないんだなーって感じる」

なるほど、と思った。彼女たちの言うとおりだ。自分がＳｕｂだと知られることを恐れているせいで、相手がＤｏｍかスイッチではないかと常に気にしてしまうし、本性がばれないようにと思うと、壁を作ってしまう。だから友人とも長続きしないのだ。

親友やちゃんとした恋人に憧れはある。瑛介だって、誰かの「特別」になってみたかった——そこにいるだけで愛される、従弟の楓みたいに。

（でもＳｕｂだって笑われるよりは、ひとりのほうがいい）

ぐっと酒を呷《あお》って、瑛介は唇を拭った。ひとりでいい。抱きしめてほしいとか褒めてほしいとか、全部受け入れてほしいとかは、疲れたときの気の迷いだ。

（今日だって、Ｄｏｍが見つからなくてよかった。見つかっていたら取り返しのつかないことになっていたかもしれないんだから）

ひとりがいい。

「ひとりがいいって、人が嫌いなの？」

静かに聞かれて、瑛介ははっと振り返った。口に出していただろうか。思考だけのはずがどこから喋《しゃべ》っていたのかわからなかったが、どうせ行きずりの相手だと思うとどうでもよくなった。

「嫌いじゃないよ。ときどきは、長続きする恋人がいたらいいと思う。せめて、なんでも話せる友達くらいは」

「友達だって恋人だって、あなたならすぐできるのに」

「……できたことないよ」

瑛介はカウンターに腕を投げ出して頬を乗せた。頭が重たいのは、思っている以上に酔っているせいだろうか。斜め下から見上げた青年は暖色の明かりを受けて輝いていて、自嘲が漏れる。

「きみみたいにもてる人には簡単だろうけど、僕みたいに努力しても平凡な人間が『特別』になるのは大変なんだ」

容姿もそこそこで、勉強は努力しないとできなくて、親はいつも「不出来な息子ですから」と謙遜ばかりしていた。秀でたところがないのは子供のころからのコンプレックスで、だからこそ、自分のＳｕｂ性が厭《いと》わしい。

取るに足りないその他大勢にしかなれない上に、服従したがる惨めな弱虫だなんて、誰が好きになるだろう。

投げやりな瑛介に、青年は熱心に「そんなことないよ」と言った。

「俺より、きっとあなたのほうが好かれるよ。今みたいに本音で話して、可愛い素顔を見せたら一発だ」

「やだよ。聞かれてもいないのに自分のことを話すのとか、ただの迷惑な自己中じゃないか。それに、素顔ってたいていみっともないだろ。幻滅されるだけだ」

「友達が心をひらいたときに幻滅するような人間は、最初から親しくならなくていい相手だから、離れていったら逆にラッキーだと思えば？」

「でも、それじゃあ打ち明けるまではわかんないってことじゃないか。相手が受け入れてくれるか、くれないか……そういう博打《ばくち》みたいなの、好きじゃない」

　だらけた格好のまま酒を飲もうとして失敗し、瑛介は仕方なく身体を起こしてグラスを空けた。くらくらと視界が回る。酔ってる、と自覚するとほっとして、笑いたい気分だった。酔ったなら、少しの醜態は酒のせいにできる。

「この人なら絶対大丈夫ってわかるまでは、甘えたりできないよ」

「だったら俺と友達になる？　俺ならあなたがなにを打ち明けてくれても、笑ったり見放したりしないよ」

　真面目なトーンで言われて、瑛介は唇を引き結んで彼を眺めた。さっきよりこちらに身を乗り出していて、睫毛《まつげ》がよく見える。瞳は明かりを反射しているせいか、星でも宿ったようにきらきらしていた。

「……やだ。きみ、なんだかめんどくさそうだもん」

　もう一杯だけ、と決めておかわりを頼み、頬杖をつく。

「年下っぽいし、なんか電話とかメッセージとかいっぱいしそうな顔してるよね。恋人にはまめなほうだろ」

「そういうの嫌い？」

「束縛はされたくないよ」

　そんなことをされたら、相手なしには生きていけなくなるに決まっている。縛りつけるほど愛されるのは、きっと満ち足りていて幸福だから。

「束縛されてるのに、気持ちいいとか、嬉《うれ》しいとか、思ったらだめだろ」

「恋人ならいいんじゃないですか？　俺なら、いつでも会いたくてたまらないし、ほかの人と仲良くしたり、触られたりするのなんて我慢できないから、鬱陶しいって言われても束縛しちゃうな。——それに」

　伸びてきた手がほんのかるく、瑛介の前髪に触れた。

「恋人が俺だけに見せる顔があったら、一番嬉しい。独り占めしたいんだ」

　一瞬の体温に心がちりちりと燃えて、瑛介は視線を逸らした。——年下相手に、ときめいてどうする。

「ずいぶんロマンチックだけど、ほんとに恋したことある？　そういうの現実には難しいよ」

「恋人くらいいたことあります。俺、大事にしますよ」

　むきになった表情に、わざと「若いなあ」と笑ってやった。

「じゃあ、どんなふうにするか見せてよ。僕のことも、大好きな恋人を甘やかすみたいに褒めてみて」

「褒めるのくらい簡単ですよ」

ぱっと顔を輝かせて、彼は瑛介を眺め回した。

「えっと、フランス人じゃないよね？」

「違うよ。四日前に日本から来て、三日前から働いてる」

「そうなんだ？　フランス語、すごく上手だよね。声がやわらかくて聞きやすい。俺の好きな声だ」

たいして心に響かない褒め言葉だ、と思ったのに、じっと目を見つめて「好き」と言われると、心臓が締めつけられた。こめかみのあたりが熱くなってきて、再び目を逸らす。

（馬鹿。どきどきするな、僕）

「それだけ？」

「まだあるよ。外国で仕事するのって、勇気のいることだからかっこいいし、それに優しい人だって、ちょっと話しただけでもわかる」

「よく言われるよ。でも、優しいってときどき褒め言葉じゃなくなるよな」

「あと、可愛い」

「へたなお世辞だ」

鼻で笑うと、「本当のことだよ」と返ってくる。

「見た目も可愛いけど、恋人にしてほしいことが『褒める』なんて可愛いよ。毎日頑張ってるからだよね」

するりと頬に触れて振り向かされ、またきゅっと心臓が痛んだ。熱心に見つめてくる視線や触れる仕草に甘い空気が漂っていると、気づかないほど初心ではない。彼は本気で、初めて会った瑛介を口説く気でいるのだ。

(やばい。——ちょっと、嬉しくなっちゃうじゃないか)

若いのに妙に色気があるのは場数を踏んでいるからだろうか、と見つめ返して、瑛介は引かれるように顔を寄せた。

「……きみ、変わった目の色だね」

「アースアイっていうんだ。色が混ざってるでしょう? 珍しいらしいよ」

彼が自分の目元に触れる。近づくと、緑とも青ともつかない色の瞳の中に、金色が星のように混じっているのが見えた。

「地球っていうより宇宙みたい」

綺麗だった。ぼんやりと呟いてから、ふと笑う。

「宇宙、行けたらいいな。宇宙人だったら僕を好きになるやつもいるかもしれないからね」

急激に寂しさが込み上げて、目の前の彼にしがみついてしまいそうだった。抱いてほしかった。セックスじゃなくていい、抱擁して頭を撫《な》でて、愛してるよと言われたい。誰より大切だと囁《ささや》いて、泣きやむまであやしてほしい。

「地球にいたって好かれるよ」

「ありがとう。——それ、本当に恋人になりたい相手に言ってあげなよ。きみが好きになるなら、きっと愛らしい人だ」

じゃあね、と席を立った。立ち去らないと、本当にすがってしまいそうだ。年下の口説き文句なんか、真に受けてはいけない。

(だいたい、年下に抱いてほしいとか言えるわけないんだ。達くとき泣くのなんて見られたくないし、結局特別な相手になれなくて振られるのもいやだ)

次につきあうなら、年上で頼り甲《が》斐《い》があって、包み込んでくれる人がいい。Ｓｕｂだと隠したままでも愛してくれる人。瑛介の全部を受けとめて褒めて、肯定してくれる人だ。

店を出ると涙が一筋流れて、ひどく惨めな気分になった。

ときどき思う。自分はもしかして、孤独な星の下に生まれたんじゃないかと。誰とも寄り添えない運命で、不完全で孤立したまま死ぬんじゃないかと。

「……馬鹿馬鹿しい」

自分で嘲笑って、瑛介はふらつきながらタクシーを探した。運命とか占いなんて信じてもいないのに、弱気になるなんてらしくない。まだやれることはあるはずだ。もしかしたら明日、可愛い男の子とめぐりあって、この子ならすべてから守ってやりたい、と思うかもしれないのだ。まだ大丈夫。きっと、まだ。

あのときの、と思いながら、瑛介は改めて青年の——花南の横顔を見上げた。

彼の部屋だ。広々として高級そうなマンションの一室はナチュラルカラーで統一され、壁には緑色が印象的な現代絵画が飾られていた。

「……フランスで会ったときは、金髪じゃなかった？」

ボディバッグをソファーに置く背中に問うと、彼は黒髪をかき上げた。

「あのときは染めてたんだ、仕事で。こっちが地毛」

「仕事？」

「ブランド広告の撮影だったの。俺、メインは俳優だけど、モデルもやるから」

こともなげに言いながらマスクを外した顔は、納得するしかない美しさだった。記憶にある顔よりも大人びて精悍《せいかん》さを増した分、色気もしたたるようだ。瑛介は背を向けた。

「やっぱり帰る」

いろいろ言われた動揺とわずかな期待でついてきてしまったが、芸能人だと知っていれば絶対に逃げていた。冗談じゃない、と玄関に向かいかけると、腕を摑《つか》まれる。

「なんで？　その気になってくれたんじゃないの？」

「一瞬血迷いかけたけど目が覚めたんだよ」

従弟の楓もモデル兼俳優だ。花南と仕事で会うこともあるかもしれず、自分の醜態が楓に伝わる可能性があった。甘え上手で誰とでもすぐ仲良くなる分、やたら口の軽い楓に知られる危険をおかす気はなかった。

「芸能人となんて、一晩だけでもいやだよ。ゴシップ記事のネタになるのとかごめんだ」

「大丈夫だよ。俺、絶対口外しないから」

「きみが口外するしないの問題じゃないだろ」

のんびりした花南に呆れて言い返すと、彼は子供っぽく頬を膨らませた。

「帰さないよ。俺、瑛介さんに会いたくてずーっと探してたんだ。恋人になってよ」

「会いたいって……あのとき話したの、三十分かそこらだろう。たいした話をしたわけでもないのに、三年も探してたって言うのか？」

「そうだよ。でも、バーの前にも一度会ってるんだ。三度目って言ったでしょ」

花南は懐かしそうに目を細める。

「空港で、瑛介さんが俺を助けてくれたんだよ」

「空港？　いつ？」

全然記憶になかった。

「バーで会う四日前——実質は五日前になるかな、日本でだよ。出発するとき、天気が悪かったの、覚えてない？」

言われれば、飛行機がどれも遅れていたのを思い出した。だが、花南みたいに目立つ男を助けた記憶はない。眉根を寄せる瑛介に、花南はうっとりと言った。

「雨だと、昔怪我《けが》した足が痛むんだ。あの日はすごく痛くて、ひきずっちゃってて。すれ違うとき瑛介さんをよけそこねて転んじゃったんだよね。瑛介さんは同僚っぽい人と話してて、俺のほうは見てなかった」

「——そういえば、ぶつかった人はいたな」

あの日は瑛介も体調が悪かった。出発の緊張と多忙による寝不足に加え、ダイナミクスの不安定からくるだるさで、かなりつらかった。見送りにきた同僚には弱った姿をさらしたくなく、普段よりも饒舌《じょうぜつ》に彼らと話しながら歩いていたせいで、周りが見えていなかった。

ぶつかった相手は倒れ込み、慌ててしゃがむと目眩《めまい》がして、ごまかすためにことさら親切に振る舞った。帽子に眼鏡、マスク姿で、ごく地味な服装をした若者は愛想のない態度で、俯《うつむ》いたまま「大丈夫です」と言うのを、具合が悪そうだからと押しきって、近くの椅子まで肩を貸して連れていったのだ。医務室までつき添おうか、とも言ったのだが、連れと待ち合わせていると言うので、「気をつけて。本当にごめんね」と告げて別れた——はずだ。

「……なんとなく覚えてるけど、でも、会ったっていうほどのことじゃないだろう」

「瑛介さんにとっては、忘れちゃうくらいよくあることかもしれないけど、俺にとっては特別だったんだよ」

摑んだ腕を離すかわりに手を握って、花南は身体を近づけた。

「大丈夫ですかって気遣って、わざわざベンチまでつき添ってくれてさ。初対面なのに床に膝をついて、下からちゃんと俺の顔を見て、本当にごめんねって謝ってくれて——なんて綺麗な人なんだろうって」

陶然と見つめてくる瞳は熱っぽく、冗談ではないのは伝わってきたが、瑛介はため息をつきたかった。

その程度の親切は誰にだってできる。結局、花南は瑛介の容姿が好みなだけだろう。

「きみの言う恋人って、要はセックスしたいってことだよね」

確認すれば、花南は大きく頷いた。

「もちろんしたいよ、瑛介さんがいやじゃなければ。俺、なんでも瑛介さんの望みどおりにする。抱かせてくれたら、いっぱい褒めてあげる」

耳の奥に、ざわつくバーで聞いた褒め言葉が蘇った。なんの変哲もない言葉なのに、甘い声音のせいで胸が締めつけられた感覚までが思い出され、瑛介は下を向いた。

はしゃいだみたいに甘やかしたり褒めたりするのも、どうせ最初だけだ。誰だって、同じ熱量で愛し続けることはできない。過去つきあった相手はみんな、瑛介がプレゼントをしても料理をしても、次第に喜ばなくなった。凡庸な瑛介ではもの足りないと離れていった彼らと同じく、花南だって、一回寝たら目が覚める可能性のほうが高い。

そう考えながら、痛む胸のあたりのシャツを握りしめた。

「一応忠告しておくけど、きみが思うほど楽しいセックスにはならないと思うよ。場合によっては僕はきみを蹴り飛ばすかもしれないし、やってみてがっかりしたとしても、それはきみの責任だからな」

「えっ、ほんと？　ありがとう！」

花南は飛びつくように抱きしめて、満面の笑みを浮かべた。

「安心して。俺はがっかりしそうだと思う相手は誘わないし、万が一うまくいかなかったからって瑛介さんのせいにはしないよ」

無邪気なほどの笑顔に、いい子なんだろうな、と思った。たぶん、タイプとしては楓に似ている。人から愛されるのに慣れていて、愛情を注ぐのにも躊躇《ちゅうちょ》がない。正直好きな性格ではないけれど、こういう相手と関係を持つのが自分にはせいぜいなのかもしれない。

一晩かぎり、あるいは短い期間で終わる、心をひらかないままの恋。愛してもらおうと欲張らなければ、セックスの最中がみっともなくたってかまわない。二度と会わなければ、幻滅されてもいいのだから。

（――これからは、こうやって生きていくのかもしれないな）

今日がその一度目だと思えば、花南が相手なのも悪くない。ニュートラルだし、と思って、瑛介は彼に向き直った。

「じゃあ、させてあげる。でも、試すだけだぞ」

「ありがと、瑛介さん。寝室はこっちだよ」

嬉しげに花南が案内してくれる。左側のドアを開けると寝室も十分に広く、芸能人として売れているのだろうと察しがついた。三年日本を離れていたせいですっかり疎くなっているが、これからは人気の俳優や歌手も覚え直さなければ。瑛介の勤める会社では広報担当者は広告戦略にも携わるので、あらゆる流行に敏感でいる必要があった。

（各社のプレスも半年分は遡《さかのぼ》りたいし、めぼしいところのＤＭは申し込んで、雑誌とｗｅｂをチェックして……音楽のトップチャートもある程度遡らないとだめだな）

明日も忙しいぞ、と半分仕事に意識を飛ばしかけた瑛介は、部屋の明かりをつけた花南が振り向いたことに気づかなかった。

「跪《ひざまず》いて」

言われても咄嗟《とっさ》には理解できず、ぽかんと見返す。微笑みを浮かべた花南は、顎を上げて言い直した。

「聞こえなかった？　コマンドだよ。跪いてって言ったんだ」

すうっと背筋が冷え、手足が強張《こわば》った。動けない瑛介に、花南はにこやかなまま首をかしげた。

「瑛介さんは褒めてほしいんでしょう？」

返事ができない。特徴的な花南のアースアイは光を帯びて煌めいていて、射竦《いすく》められるようだった。息さえできないのは、彼から溢れ出るグレアのせいだ。

（――Ｄｏｍ、だ）

威圧感とも強力なフェロモンともつかない、Ｄｏｍだけが持つ圧倒的な気配が、花南から放たれている。

（なんで……今まで、Ｄｏｍだなんて微塵《みじん》も感じさせなかったのに）

「瑛介さん、きっと誰のコマンドにも従ったことがないでしょう？　簡単なのからはじめようね。上手にできたら褒めて、たくさんご褒美をあげるからね」

花南は愛《いと》おしげに瑛介の頬を撫でた。優しい手つきにやっと空気を吸い込めて、瑛介は掠《かす》れた声を押し出した。

「いやだ……きみが、Ｄｏｍだと知っていたら、僕は……」

「ついてこなかったのにって？　俺はあなたがＳｕｂだって、一目でわかったけどな」

たいした力は入っていないのに、顎を持ち上げられても抵抗ができない。花南は耳元に顔を近づけた。

「俺は隠すのが得意なんだ。怖がってしまうＳｕｂもいるから、普段は完全にニュートラルに感じられるように気をつけてる。瑛介さんも怖くなかったでしょう？　――大丈夫」

「……っ」

低まった声に、耳の奥から脳まで痺《しび》れるように感じた。

「俺はあなたを傷つける存在じゃないよ。ただなんでもしてあげたいだけ。いい子だから、跪いて？」

「……や、」

「簡単だよ、膝を床につけるだけだ。上手にできたら抱きしめて、甘やかしてあげる。瑛介さんが泣いてとろとろになっちゃうまで可愛がってあげる。普段は気を張ってて、気持ちよくなりきれないでしょう？　今日は全部俺にまかせていいからね」

いやだ、ともう一度言おうとしたのに、声が出なかった。気づけば身体が震えていた。

花南がＤｏｍだなんて詐欺だ。年下の、しかも従弟の同業者なのに、Ｓｕｂだと知られて醜態をさらすわけにはいかない。

けれど、常識にすがるようにそう思う一方で、心は揺れていた。

（……一晩、だけなら）

今夜だけ、彼のコマンドに従ったら——どれくらい気持ちいいのだろう。願っては打ち消してきた、理想のセックスができるだろうか。

（しないで帰っても全然いい。命令に従いたいわけじゃない）

心の中で何度も言い訳し、瑛介は花南を盗み見た。

花南はダイナミクスを公表しないで仕事しているようだ。Ｓｕｂと同様、Ｄｏｍもまた差別されることがある。尊大だとか暴力的だとか思われがちだから、イメージが重要な仕事柄、公にしたくないのだろう。ならば、Ｓｕｂと寝たことは誰にも言わないはずだ。

従いたいわけじゃない、ともう一度言い訳して、瑛介は小さく頷いた。花南は満足げな表情を浮かべ、悠然とベッドに腰かけた。

「もう一度言うね。俺の前に跪いて」

反発する意識とは裏腹に、足が操られるように動き、彼の前まで来るとかくんと力が抜けた。両膝を落としてしまうと、屈辱とも期待ともつかない熱で身体が燃える。かろうじて睨むように見上げると、花南は唇の両端を上げた。

「よくできました」

幼稚園児でも相手にするような穏やかな声音とともに、顎に指がかかる。つうっと喉から撫でられて思わずまぶたを伏せた瞬間、唇が重なった。

（っ逃げ、なきゃ——）

びくり、と全身が引きつる。キスはだめだ。わかっているのに動けず、瑛介は入り込んでくる舌を受けとめた。

口は瑛介の弱点だった。唇のあいだにあたたかくやわらかいものを感じるだけで、ぼうっと頭が霞《かす》む。口内を満たされる安心感と幸福感で、たまらなく気持ちよくなってしまうのだ。

（舌……っ、舌、が）

濡《ぬ》れてくねる舌は我がもの顔で歯列を割り、上顎をくすぐってきて、喉の奥から胸までがじんわり痺れた。どうしようもなく気持ちよくて、股間がもう熱い。無意識のうちに花南の舌に吸いつき、瑛介は湧き上がる快感に腰をくねらせた。

みっともないとわかっているのにとめられず、低く呻《うめ》く。自分のものではない舌が口の中にあって、動き回って存在を主張しているのが悦《い》い。もっと奥まで占領されたくて唇がゆるみ、だらりと唾液が垂れた。途端、すっと舌が抜けていく。

「瑛介さん、キスですごく感じるんだね」

「……っ」

濡れた唇を指で撫でられ、隠しようもなく震えが走る。吸いつきたかった。くわえたくて指に視線が吸い寄せられ、唇の内側を触られると喉で声がくぐもった。

「う……っ、ぁ、」

「口が感じやすいんだ？　指も舐めたくてたまらないって顔してる」

花南は悠然としていた。焦《じ》らすようにゆっくりと口の端に触れ、瑛介の全身を眺め回す。

「さっきからもじもじ動いちゃって、可愛いなあ。好きなら指をしゃぶらせてあげてもいいんだけど……まずは服を脱ごうか」

「——、ぅ」

　彼の視線が股間にそそがれると、今まで感じたことのない羞恥が込み上げた。あさましく反応した性器を見られるのが恥ずかしい。裸を恥ずかしいと思ったことはないのに、花南には見られたくなかった。

　だが、「命令だよ」と言われると、手が動いた。シャツの裾をボトムから出し、ボタンを外す。ベルトを抜き、どうやって脱ごうかと逡巡すると、「立っていいよ」と声がかかった。

「こっちを向いたまま脱いで。パンツは最後でいいから、全部自分で脱いで、俺に見せて」

　喉が干上がるような感覚に鳥肌が立つ。嫌悪感のせいだと思いたかったが、ペニスはひくひく動いてさらに勃起し、チノパンの生地を押し上げた。のろのろと立ってファスナーを下ろし、脱いでしまうと剝《む》き出しの脚までが恥ずかしく思えた。縮こまって謝りたくなるのをどうにかこらえ、アンダーシャツを脱ぎ捨てる。

最後にパンツを下ろすところまで頑張って、瑛介は顔が上げられなくなった。

死にそうなほど恥ずかしくて、身体中が熱い。まるで、自分が自分でなくなってしまったかのようだ。

（いやだ……こんなの、いや、なのに）

「ちゃんと脱げたね。もう一度ここに跪いてごらん？　指をしゃぶらせてあげる」

いやなのに、がくんと崩れるように膝をついて、瑛介は口を開けた。差し込まれた二本の指が舌に触れるとじぃんと痺れて、つい唇が窄《すぼ》まる。

「そう、上手だね。いっぱいよだれを出してちゅぱちゅぱしていいよ」

囁きかけるような花南の声に従って、舌を絡めて指を吸う。二本あると異物感は圧倒的で、それがいい。花南はときどきあやすように指を動かして上顎をこすってくれ、そうされるともう我慢できなかった。

「ん……っ、ぅ、……ん、む……っ」

いつしか、夢中になって吸いついていた。もっと奥までほしくて、自分から根元までくわえ込む。顔を前後させて唇でしごくのが快感で、舌をぴったり沿わせながら熱心に頭を振ると、うっとりした心地になった。

唇でくわえるだけでも気持ちいいのに、奥がこんなに感じられるだなんて知らなかった。

今までは、キスが気持ちいいと思っても、本能が剥き出しになるのが怖くて長くは続けられなかった。舌を入れられるとつい拒んでいたのだが、花南の指はずっとくわえていたいくらいだ。いっそ三本くわえさせてくれたら、とわずかにまぶたを上げると、じっと見つめていた花南と視線があった。

「――っ！」

ぞくん、と背筋が震えた。怯《おび》えとも喜びともつかないものが胸に広がり、呆然《ぼうぜん》と花南を見返す。

強く煌めく瞳に浮かんでいるのは、明らかに喜悦だった。獰猛《どうもう》で、貪欲で――逆らうことを許さない、支配者の目だ。

「そんなにおしゃぶりが好きなら、俺のも舐めさせてあげようね。さっきからもっと奥までほしそうにしてるもんね？」

花南は指を抜き、唇に触れながらもう一方の手で頭を撫でた。

「瑛介さんの表情はわかりやすいから、俺が見落とすことはないと思うけど、一応セーフワードは決めておこうか。できないと思ったら、『レッド』って言ってね。たぶん言いたくないと思うけど、無理しすぎると心もつらくなっちゃうから」

剣呑《けんのん》なほどの眼差《まなざ》しと穏やかな声に、瑛介は悟るしかなかった。

逃げられない。

彼はこれから、瑛介を支配する。圧倒的な力で、瑛介のすべてを手に入れるのだ。

「……、僕は、ほんとは、こんなことは——」

掠れた声が懇願するようにこぼれ落ちた。最後まで言えずに肩を震わせた瑛介の前で、花南は膝をひらき、見せつけるようにベルトを外した。

「わかるよ。今まで避けてきたからやりたくないって思うんだよね。本性が明らかになるのが怖いんだ」

「……ちが、……」

「初めてのことが怖いのは当然だよ。でも、俺がいるから瑛介さんは大丈夫」

励ますような声とともに彼の性器が取り出され、いやでも目が引きつけられた。まだ平静を保っている花南のものは、手に余るほど長い。見るからに重そうな太さに、瑛介はごくりと喉を鳴らした。

「先にご褒美をあげよう。これをしゃぶらせてあげる」

花南は瑛介の頭を片手で引き寄せた。反射的にびくりと身体が竦んだが、口の中には唾液が湧いてくる。鼻先に亀頭が近づけられ、雄の匂いに頭の芯が捩《よじ》れるような錯覚がした。

(これ、が——喉まで、きたら)

口いっぱいに頬張ったらどれほど気持ちいいか、想像もつかない。

「ザーメンを飲むのも好きかな。様子を見て、好きそうなら飲ませてあげるからね」

優しく髪を梳《す》きながら、花南は切っ先で瑛介の鼻を撫で回し、それから唇にあてがった。丸みを帯びて充実した肉の塊がぴったりと粘膜に当たり、だらりと顎が下がった。勝手に大きくひらいてしまった口の中に、男根がゆっくりすべり込む。圧倒的な質量に、くらくらと意識が揺れた。

「瑛介さんは横座りして、右膝を立てて。俺のを舐めながらオナニーして」

コマンドに抗えず唇を窄めてくわえると、どろりと溶ける心地がした。えずきそうなほど太いものを、めいっぱい顎をひらいて受け入れる。下半身は命じられたとおりに崩れて、膝を立てて股間をさらし、すでに先走りに濡れた先端を右手で握った。

「先っぽは隠しちゃだめだよ。精液出しちゃうところを俺に見せるんだ」

やんわりと命じながら、花南はそっと瑛介の頭を押した。喉のぎりぎりまで性器が侵入し、上顎の奥がこすれて、瑛介は身体を波うたせた。苦しいのに、気持ちいい。舌に感じる花南の表皮はなめらかで、重さとぬるい体温を感じると目の奥がちかちかした。

「ふ……っ、ん、ぐ、……ぅっ……」

「このへんが限界かな。無理しないで、気持ちいいとこまでくわえればいいから、好きなように舐めてごらん?」

「ん……ふ、ぅっ」

「オナニーもやめちゃだめだよ。舐めるのにあわせてしごいて、達きたくなったらそのまま射精して」

何回出してもいいからね、と撫でられると、ほっと安堵《あんど》が湧いてくる。我慢しなくていいのだ。嬉しくてちゅぱっと音をたてて吸いつくと、花南は小さく笑った。

「瑛介さん、とってもいい子だね」

(あ――――褒めて、くれた)

痛いほど胸が締めつけられて、瑛介は視線を上げた。瑛介の頭に手を乗せた花南は優しく首をかしげ、甘い笑みを浮かべる。

「どうして驚いてるの？　瑛介さん、俺が言ったこと、全部上手にできてるもの。世界で一番いい子だよ」

花南は耳に指をすべらせて、そこもくすぐるように撫でてくれた。

「遠慮しないで、音もいっぱい出しておしゃぶりしようね。最後は俺が動いてあげる。上顎こすられるの、気持ちいいもんね」

「……ん、……っん、ん、」

もどかしい思いで頷いて、瑛介は口から花南の分身を出し、舌を動かした。幹に沿って皺《しわ》のひとつひとつを味わうように舐め上げ、先端に口づける。突き出した唇で何度も鈴口を吸うと、性器はぐっと漲《みなぎ》った。赤みを帯びた亀頭を迎え入れ、くっきりした雁首《かりくび》の張り出しをめくるように頭を前後させると、ちゅぽ、ちゅぽ、と水音が響く。

（ん……すご……、まだおっきくなる……）

口の中でどんどん張りつめていく感触が嬉しかった。異物に口内をこすられる物理的な快感もすごいが、休まずに頭を撫でてもらえる満足感もいい。半ばまでくわえ込めばずっしりした質感に頬が震え、唾液が幹を伝い落ちた。

「瑛介さんの口の中、あったかくて気持ちいいよ。舌も、すごくやわらかいね」

あやすように声がかかって、瑛介は夢中で舌を絡めつけた。亀頭を舐め回し、唾液をすすり込むと潮っぽい味がして、舌の付け根がきゅっとなる。先走りが出ているのだ。花南も興奮しているのだ、と思えばずんと腹が重くなり、熱が下半身に広がった。

この太くて逞しい雄を尻の中に入れられたら、どんな感じがするのだろう。痛いだろうが、きっと感じるのは痛みだけじゃない。

「――ん、ぅ……っ」

腰が揺らめき、甘えるように呻き声が出た。花南は瑛介の前髪をかき上げた。

「気づいた？　今瑛介さん、お汁がぴゅって出ちゃったよ。我慢汁の量が多いんだね」

「ぅ……っ、ん、ふ、……ぅっ」

「よだれもいっぱい出るし――そのうち潮吹きもさせてあげようね。でも今日は、もうそろそろ限界でしょう？」

よしよし、と髪を撫でつけて、花南は性器をくわえさせたまま立ち上がった。両手で英介の頭を掴み直し、「突いてあげる」と朗らかに告げる。

「少し苦しいけど、きっと気に入るよ。精液は舌の上に出すから、飲んでもいいし、吐き出してもいい。――いくよ？」

ぴくんと肩が跳ねるのと同時に、口の中の肉棒がずるりと動いた。ぎりぎりまで引かれ、勢いをつけてぐんと突き入れられて、身体が強張る。

「――ッ、ぅ、……うぶっ……ぅ……ッ」

本能的な苦しさにきつく目を閉じたが、肌がちりちりとするのは苦痛のせいではなかった。乱暴なくらい出し入れされ、強引に口内をこすられるのが快感なのだ。だらしなく力を失った唇からじゅぽじゅぽという音と呻き声がまじりあって漏れ、またたくまに気が遠くなった。

（だめ……これ、だめな、やつだ……、こんなの……っ）

おかしくなる、と思った直後には、焼けるような、染みるような感覚が全身を貫いた。イラマチオされながら瑛介は射精し、数度噴いてだらりと床に手を落とした。力をなくした口を花南はなおも攻め、ほどなくどろりとしたものが舌の上に溜《た》まった。

青くさい匂いが鼻に抜ける。太い性器が取り出されると半透明の粘液が糸が引き、瑛介はぼんやりとそれを眺めながら口を動かした。染みてくる味は甘い。こぼしてしまうのはもったいない気がして飲み込むと、えぐみのような苦味のようななんともいえない後味がした。

「飲んでくれたの？　瑛介さんは本当にいい子だなぁ」

覗き込んだ花南が目を細めた。

「顔も、やわらかくて素直な表情になったね。おしゃぶり、気持ちよかったねえ」

ちゅ、と額にキスされて、心臓がきゅんと痛む。花南は瑛介の背中に手を回して、今度は目尻に口づけてくれた。

「俺も嬉しいよ。瑛介さん、ほとんどしごいてなかったのに射精してくれたから。ぴゅって噴くのを見たら可愛くて、俺も達っちゃった。——ありがとう」

「……っ」

一音一音を言い聞かせるような礼の言葉を聞くと目の底が熱くなって、涙が盛り上がった。溢れて目尻から流れ落ちる涙を、花南は唇で拭ってくれる。

「やっと泣いてくれたね。もしかして、我慢してた？」

「ちが……これは、——う、嬉しく、て」

「いつもは？　気持ちいいとか、嬉しいとかで泣くんじゃないの？」

「ふだんは……苦しい、気がして、それで……でも、今日は」

涙はあとからあとからこぼれてとまらない。喉を震わせ、瑛介は花南の胸に額を押しつけた。

「ありがとうって……言って、くれた、から」

もう、欠片《かけら》も意地は残っていなかった。身体の奥から生まれてくる喜びで指先まであたたかく、舌に残る精液の後味までが嬉しい。

「きみも……気持ちよかったんだなって、思って」

「それで泣いちゃったの？　——瑛介さん、ずっとつらかったんだね」

包み込むように瑛介を抱きしめて、花南は背中をさすってくれた。

「これからはご褒美の時間にしよう。瑛介さんを抱いて俺のものにするから、いっぱい気持ちよくなろうね」

ベッドに上がって、と促されると、小さな子供になったような気分がした。おとなしく仰臥《ぎょうが》して、花南が機嫌のいい表情で服を脱いでいくのを見つめる。日本人にしては珍しくきっちりと肩幅のある体格が露《あら》わになり、続けて引き締まった腰に、筋肉のついた太腿《ふともも》へと目が吸い寄せられた。

（——雄、だ）

優美で力強い身体だった。服を着ていても魅力的な男だが、裸は彼の本性を見せつけるかのようだ。鍛えられて精悍な肉体は生命力に満ちて自信が滲《にじ》んでいる。それが自分の上に覆いかぶさってくると、腹の奥が疼《うず》いた。

力が、どこにも入らない。

さらりとした肌が密着し、花南はしっかりと股間を押しつけた。瑛介がひくひくと震えているのを楽しむように性器をすりつけ、頬にキスし、両手でぐっと尻肉を摑む。窄まりに指が当たり、瑛介はくすぐったさと怯えに背をしならせた。

「……っ、ぅ」

「ここは使ったことないんだよね？」

「……、ない」

「だったらしっかりほぐさないといけないね。膝を抱えて、よく見せてくれる？」

くにくにと尻を揉《も》まれるたびに窄まりが引きつれる。そこを犯されるのだ、と思うと震えがとまらず、瑛介はおずおずと膝をひらいた。言われたとおりに抱え、胸に引きつける。従順な仕草に花南は満足げに頷き、小さなボトルを開けてたっぷりと潤滑液を手に出した。とろみのあるそれをしばらくあたため、股間全体に塗り広げていく。もどかしい快感にふっと息をつくと、隙を狙うように中指が窄まりを割った。

「……ぁ、……っは、……っ」

痛みはなかったが、予想以上にあっけなく指が入ってきて、瑛介は声を漏らした。濡れてか弱い声に瞬間だけ羞恥が湧き、けれど指を揺らされれば、硬く主張する異物感に意識を奪われて、すぐに息遣いが荒くなった。

「っ、ふ、……く、……、……んっ」

「声我慢しないで。お尻でも感じてくれたほうが、俺も嬉しいからね」

花南は様子を窺《うかが》うように、ゆっくりと指を抜き差しした。

「ここをいい子いい子しながら、いろいろ確かめようか。瑛介さんは痛いのは好き？　たとえば叩かれたりとか、つねられたりとか」

「い……いや、だ。そういうのは……、ぁ、……っ」

「じゃあ、苦しいのは？　喉を絞められて息ができないのとか、興味ある？」

「絶対ごめんだ、……っあ、は、……んッ」

ぬち、ぬち、と前後する動きが少しずつ大胆になってくる。孔《あな》は腫《は》れぼったく感じられ、痺れたように熱かった。花南の指が動くと排泄《はいせつ》しているみたいでひどく落ち着かないのに、胸までじんじんする。充足感ともどかしさがまじりあったような感覚だった。

「動けないのはどう？　手や脚を縛られて、触ってもらったり、入れられたりするのは？」

「……し、知らな……、は、ぁっ、あ、あッ」

ぐりっ、と抉《えぐ》られたように感じて、腰が跳ね上がった。破けたかのような錯覚に、性器がひどく疼く。花南は嬉しそうに微笑んだ。

「前立腺の反応すごいね。触ったらザーメン出ちゃった」

「っあ、や、……いじらな、……ぁ、ああっ」

かるくタップされるだけで、今度ははっきりと射精感があった。精液が少量飛び散って、瑛介は汗ですべる手で膝を摑み直した。

「ゴム……っ、しない、と……シーツ、汚れ、……ぁ、う、……んんっ」

「ふふ、また出たね。ゴムはつけてあげてもいいんだけど、今日はぜーんぶ見せてほしいからだめ。シーツはあとで俺が替えるから、心配しないで」

うっとりした眼差しで瑛介の股間を見つめ、花南は中指を抜いた。潤滑液を足し、二本揃《そろ》えて再び挿入する。

「――あ、……ぁ、あ……っ」

「太くなると気持ちいい？　Ｓｕｂはみんなアヌスが性感帯だっていうけど、瑛介さんは中もとっても好きみたいでよかった」

ぐぷぐぷと、さっきよりも大きな音が響く。たっぷりと潤滑液の入った腸の中は、なんともいえない膨満感がある。そこを指でかき回されるのは危うい快感で、窄まりが何度も収縮を繰り返した。

（すごい……これ、……すご、く――感じ、る……っ）

綻《ほころ》んだそこは花南のなすがままだ。かるく指を広げられるとぽとぽとと潤滑液がしたたり、瑛介は後頭部を枕にこすりつけて悶《もだ》えた。

「それ……だ、め……えっ」

「だめなくらい気持ちいいでしょう？　お尻びくびくして悦《よろこ》んでるもの」

花南は弄ぶように指を奥へと打ちつけた。

「——っひ、……あ、……んっ」

「奥のほうまでやわらかいよ。三本入れてみようか。瑛介さんが気に入ってくれるといいけど、だめだったら『レッド』って言ってね」

花南は楽しげに言いながら数度指を前後させ、それから三本に増やしてねじ込んだ。

「————っ！」

視界が真っ赤に染まり、腹も太腿もびくびくと震えた。音が消え、数秒後にはきぃんと耳鳴りがしてくる。可愛い、と言う花南の声が遠く、幾重にも響いて聞こえた。

「また達っちゃったね。おなかの中もひくひくしてて、俺までうっとりしちゃう。——もう入れられるね」

「あ、……ま、……っ」

「今日は初めてだから、ゴムなしで中出しするよ。ちゃんと瑛介さんは俺のものだってマーキングしないといけないから」

花南は顔を近づけて、ひどく優しく微笑んだ。

「いい子は頑張れるね？」

頬を包むように撫でられると、声は出なかった。どっと涙だけが溢れて、ただ頷く。できないと言えば——一言「レッド」と告げれば花南はやめるのだろう。でもきっと、やめたら二度目はない。そう思えて、悲しくて顔が歪《ゆが》む。

「が、んばる、……から、」

今命じられればなんでもしてしまう。どんな屈辱的なことも、受け入れられないことも。

「き——きみが、好きなら、……しばって、いい、から……っ」

「俺が好きかどうかは気にしなくていいんだ。でも、興味があるなら一度試してみようね」

花南はちゅっと涙を吸い、頬から喉へと手をすべらせた。喘《あえ》ぎに上下する胸を撫で、腹をたどって、太腿をしっかりと押しひらく。両膝の裏を掬《すく》って腰を上げさせた格好で性器が股間にこすりつけられ、瑛介は濡れた目をまばたいた。

やっと、抱いてもらえる。生まれて初めて、身体の中をあけ渡すのだ。

窄まりをふさいだ切っ先は、潤滑液のおかげでなめらかに襞《ひだ》の中にもぐり込んでくる。みちっ、と拡張される感覚に続けて硬いものが腹を重くし、かと思うとぼうっと熱くなった。

「——ッ、あ、……、あ、……あ、」

「力は入れないで……そう、声を出して、なにもしなくていいんだ。全部俺にまかせて」

ゆっくりと揺すり上げるようにして、花南は少しずつ己を進めていく。奥に来るごとに太さを増すようで、瑛介の身体が不随意に跳ねた。

「ん……っ、く、る、し……、あっ……」

「大丈夫、まだ入るよ。ちゃんとやわらかいから、心配しないで」

甘やかすように言いながら、花南は幾度も己を前後させた。狭まって侵入をはばむ襞を辛抱強く突き、蕩けるのを待ってかきわけられると、腹がひずむような感覚でつま先が跳ね上がった。

「あ、あぁ……っ、や、……あ、あぁっ」

「ここが行きどまりだね。ここも好き？」

「ッ、う、うごか、な……ぁ、あ、……あ、……ッ」

突かれると意識まで揺さぶられるようだった。声が掠れ、惨めなほど出る。

「あっ、ぅ、……んッ、だ、め、あッ、ア、……ひ、……ぁッ」

「そんなに気持ちいいの？　いっぱいびくびくしてる」

花南は己をおさめた下腹を撫でた。

「思ったとおり、瑛介さんはお尻でもおしゃぶりが上手だね。あったかくて気持ちいい」

「だ……め……っそこっ、……い、……ぁ、……ッ」

味わったことのない愉悦だった。ずん、と突かれるごとに自分が壊れていく。爛《ただ》れたように尻と腹が熱い。硬い花南の性器はくっきりと感じ取れるのに、下半身全体が麻痺《まひ》したようで、自分の身体ではないみたいだった。破りたそうな勢いで押し上げられると意識が一瞬途切れ、高いところから落ちていく錯覚がした。

「達ってるね。ちょっとだけ出ちゃって、お漏らしみたい」

亀頭でねぶるように奥壁を愛撫《あいぶ》しながら、花南が囁いた。

「瑛介さんには、これからたくさん気持ちいいことを覚えてほしいな。乳首をいじられるのも大好きになってほしいし、潮吹きしたり、命令だけでびしょびしょになるのも好きになってほしいけど——今日はまず覚えてね」

花南は腰を引いた。指を尻肉に食い込ませ、窄まりを左右に引っぱって、わざとらしいほど水音をたてる。

「……っあ、……あ、……ん、ああっ」

「瑛介さんは俺に抱かれると、お尻だけで達くよ。精液は出なくて、おなかの中だけで気持ちよくなるの。それで、中出しされたらもっともっと抱かれたくなるからね」

いい子になれるよ、と花南は歌うように言った。

「俺だけの、健気で可愛い瑛介さんになろうね」

じゅぽじゅぽ音はするのに、おかしくなるほど気持ちいい行きどまりまでは切っ先が届かない。それどころか浅いところまで抜けていき、瑛介はぶるぶると震えた。達きたい。突いてほしい。もっと強く——抗えないほど激しく攻めてほしい。

「ん……っ、ふ、……ぅ……っ」

「言ってみて」

煌めく瞳で瑛介を見下ろし、花南が微笑んだ。

「種つけして達かせてくださいって、おねだりして」

「――、ぅ、……っ」

どっと涙が出て、瑛介は乾ききった唇を舐めた。火をともしたように身体の芯に熱があり、焦燥に似た気分と同時に、これ以上ないほどの安らぎも感じる。

ずっと、これがほしかった。

「………たね、つけして――い、いか、せて……っ」

か細い声でねだるとさらに涙がこぼれていく。しゃくり上げた瑛介を、花南は撫でてくれた。

「よくできました」

言うなり、ぐんと圧がかかる。びしりと打たれたような衝撃が走り、瑛介は無意識のうちに花南にすがりついていた。

「ア……ッ、んッ、あ……ぁ、あ……ッ」

ぐらぐら全身が揺れる。穿《うが》たれる腹の中は丸くくり抜かれたように感じられ、それがまるで、あるべき姿を取り戻したように嬉しかった。たまらなくいい。雄をくわえ込んだ粘膜は燃えるようで、ほどなくぞくぞくする予感が生まれた。

（あ――来る……）

痺れとも痒《かゆ》みともつかないその予感は徐々に膨れ上がって身体を満たしていく。胃から下がじんわりと呑み込まれてしまうと身体が痙攣《けいれん》し、すうっと意識が遠くなった。背がしなり、つま先が丸まって、腹の中からほとばしる快感が脳天まで貫く。

「あ……っ、……っ、――」

引き締まった腹の中では、花南のものがひときわ熱を帯びて大きくなったように思えた。脈打つ雄の感触をぼんやり感じ取り、抜けていくのを寂しく思う。完全に抜けてしまうと孔がすうすうして、かわりに腹の奥がじんわりとあたたかく感じた。堰《せ》きとめられていた部分に血が通うようなじゅわりとした温《ぬく》もりに、きっと精液だ、と瑛介はほっとした。

（……種つけ、されたんだ……）

ひくり、と余韻に腰がうごめく。最後の涙が目尻から流れ落ち、長いため息が出た。

――これが、Ｄｏｍとのセックスなのだ。

おはようございます、と言った声がうんざりするほど嗄《か》れていて、瑛介はすぐにでも帰りたくなった。やっぱり休めばよかった。振り返った同僚の中村《なかむら》が、ぎょっとした顔になる。

「神奈木さん⁉　大丈夫ですか？」

「……大丈夫です」

我ながら大丈夫じゃない声しか出ない。

――昨晩、瑛介は花南に抱かれた。生まれて初めてＳｕｂとして、Ｄｏｍに屈したのだ。

（……いっそ、全部記憶がなくなればよかったのに）

多少酔ってはいたが、記憶はすべて残っていた。花南の言葉も、命じるときに上がる語尾も、残念なことに自分の反応も感情の動きも、忘れられてはいなかった。

（昨日の僕はどうかしてた）

酒よりもたちの悪い、夜の魔法に囚《とら》われていたに違いない。だって、朝まで正気に返らなかったのだ。セックスが終わったあとは抱いてバスルームに運ばれ、湯船に浸かっているあいだに花南がシーツを替えておいてくれた。そのときは多少理性が戻っていたのだが、ついばむようにキスされているうちにふわふわと幸せな気分になってしまい、結局抱きしめられて眠った。

完全に我に返ったのは朝になってからで、「おはよう」と花南に微笑みかけられたら血の気が引いた。

朝食だとか服は貸すだとかかまいたがる彼から逃げるように部屋を辞し、タクシーを呼んで帰宅してから死にたくなった。二十九年頑張ってきたのに、こんな結末はいやだ。絶対にＳｕｂじゃない、と自己暗示のようにぶつぶつ唱えてシャワーを浴び、着替えて牛乳を一気飲みして、きっとあれだ、と結論づけた。

（僕はＳＭプレイが好きなんだ。いや、それだって全然褒められないけど、たまたま目新しいプレイで昂《たかぶ》っちゃっただけだ）

あいつに屈してなんかいないぞ、と己を鼓舞しつつ鏡を覗けばまぶたはぱんぱんに腫れていて、表情は腑《ふ》抜《ぬ》けていた。仕方なくマスクをして家を出て、駅ビルで度なしの眼鏡を買って出社したのだが。

（最悪だ。じろじろ見られるし顔は戻らないし尻は痛いし——あいつとは二度と、絶対、会わないようにしなくちゃ）

昨日の夜十時に戻ってやり直せたらいいのにと思いながら席につき、眼鏡を押し上げる。ずっとこちらを窺っていた中村が、遠慮がちに近づいてきた。

「神奈木さん、風邪ですか？」

放っておいてほしかったが、今日は外部の人間と打ち合わせがある。次のシーズンの広告をつとめるモデルとの顔合わせだから、中村が気がかりに思うのも無理はない。

「心配かけてすみません。昨日の夜、泣ける映画を観《み》てしまって……寝不足で」

「ああ、映画ですか！」

中村はほっとしたように笑みを浮かべた。

「もしかして、花南くんの出てる映画ですか？　あれ泣けちゃいますよねえ！」

「…………は？」

地を這《は》うような低い声が出たが、浮かれた表情で手を組んだ中村は気づかなかったようだ。

「私、実はファンなんです。今日は仕事だからもちろんはしゃいだりしませんけど、至近距離で実物が見られるなんて嬉しくって！」

「あの——中村さん」

聞き間違いかもしれない、と額を押さえつつ、瑛介は聞いた。

「なんで花南の話になるんですか？　ていうか、花南って誰です？」

もしかしたら別人かもしれない、とも思ったのだが、中村は不思議そうに首をかしげた。

「町谷花南くんですよ、知らないんですか……って、そっか、神奈木さん、先週までフランスにいたんですもんね。でも、今日の打ち合わせは本人が来るって、加藤《かとう》部長から聞きませんでした？」

「——聞いてない」

ぐらっと目の前が暗くなった。部長の加藤からは前任者が残した引き継ぎ資料を渡され、直近のいくつかのスケジュールを伝えられただけだ。資料にはもちろん次シーズンの広告についてのものもあって、ちゃんと日を通したが、モデルは別の名前になっていた。

「今日の打ち合わせは来春の広告についてですよね。モデルは西浜《にしはま》りおっていう女性だと資料にはあったんですけど」

「え、それって古いですよ」

中村は顔をしかめて、瑛介がタブレットに表示させた資料を覗き込んだ。

「これ、変更前の企画書ですね。前任の藤田《ふじた》さんが間違えたんだと思います。いったん西浜りおで決まりかけてたんですけど、女性向けラインとは別にユニセックスのラインを大きく打ち出そうってことで、花南くんに変更になったんです。彼、うちの商品を普段から愛用してくれてるんですって。それで広告についても、どんなビジュアルにしていくのか自分で打ち合わせしたいって言って、今日来ることに決まったんですよ」

中村は両手を胸に重ねて天井をあおいだ。

「あんなに顔がよくって背が高くて素敵なだけじゃなくて、中身も真面目で謙虚だなんてずるいですよねえ。加藤部長まで褒めてたんですよ」

「――もしかして、町谷花南って名前の人が二人いたりとか、双子だったりします?」

「え、双子?」

中村は戸惑ったように瑛介を見つめた。

「たしか弟がいるって雑誌で見た気はしますけど、双子じゃないはずです。……神奈木さん、やっぱり具合悪いんじゃないですか？　様子が変ですよ」

「いえ、本当に大丈夫ですから」

頭痛がしてきそうな頭を抱えて、瑛介はため息を吞み込んだ。花南には二度と会いたくないが、仕事を投げ出すわけにはいかない。帰国してすぐに選《よ》り好みなんかすれば、評判が下がってしまう。今日の打ち合わせさえ乗りきれば、直接顔をあわせる仕事は撮影日まではないはずだから、知らないふりをしてやり過ごすしかない。

逃げ出したい気持ちを抑え込み、中村に促されて応接室に向かう。ほどなく加藤が男性マネージャーと花南を連れて現れ、瑛介は緊張しながら出迎えた。

車で来たのだろう、顔をさらしたまま部屋に入ってきた花南は、薄くメイクもしているようで、誰もが振り返るような華やかさをまとっていた。おはようございます、と挨拶する声ははきはきしていて、いかにも好青年に見える。

「町谷花南です。今日はよろしくお願いします」

場にいる全員に均等に視線を向ける仕草は落ち着いていて、まるで瑛介など眼中にないかのようだった。部長の加藤、社内デザイナー、中村の順に名刺を渡し、瑛介の番になって正面に立っても、顔見知りだとは感じさせない控えめな笑みを向けてきた。

「初めまして、神奈木瑛介さん」

あまりに自然な態度に、瑛介でさえ、もしかして昨晩のことは夢だったのでは、という気がするほどだった。拍子抜けしてまじまじと見つめてしまうと、花南は子犬のように首をかしげた。

「どうかしました？」

「あ……、い、いえ、すみません。なんでもありません」

「神奈木さん、見惚《みと》れたんじゃないですか？」

からかうように中村が言い、マネージャーも含めて和やかな笑みが広がった。瑛介はもう一度謝って席につき、赤くなってしまったうなじを撫でた。

どうしてか、傷ついたときみたいに心臓の奥が痛い。

無論、花南は瑛介と関係があるそぶりなど見せるわけがないのだ。職場でＳｕｂ扱いされなくてすんだのだから、落ち着いて、こちらもなにもないふりをしなければ。

（――もしかしたら、あいつのほうだって、二度と会いたくないのかも）

だったら都合がいい、と考えて、瑛介は微妙に裏切られたような気分を振り払った。

中村がよそゆきの声で説明をはじめる。

「来春町谷さんにモデルをつとめていただくのは、こちらの新商品になります。肌本来のバリア機能や美しさを蘇らせることを目的に、香りもナチュラルでリラックスできる、シトラス中心のハーブブレンドになっています。弊社で人気の従来のラインよりも甘さを抑えた香りなので、ユニセックスにどなたにも手に取っていただける製品です」

「広告のビジュアルは、『蘇る』をキーワードにして、雪や氷から草花が蘇る映像にしていこうと考えています」

　社内デザイナーが説明を引き継いで、いくつかの写真や動画を表示して見せる。熱心に見入った花南は「素敵ですね」と微笑んでから画面を指さした。

「草花のカラーリングも、こういう色合いをイメージされているんですか？」

「はい。モデルも町谷さんで、初めて男性を起用するので、グリーンをメインに」

「そうですか……確定してるなら、俺のほうはもちろん全力で頑張らせてもらいますけど、お花はもっと可愛いのでもよくないですか？」

　真面目な顔で、花南は持ってきたボディバッグを開けた。

「これ、いっつも使わせてもらってるハンドクリームなんですけど、フラワーノートなのに甘すぎなくて、俺でも違和感なく使えるし、現場での受けもいいんです」

「わ、ありがとうございます」

　中村が本気で嬉しそうに顔を綻ばせる。

「私も愛用してるんです。いいですよね」

「はい。やっぱり花のイメージも強いブランドさんだし、モデルが男だからこそ、赤とかピンクのわかりやすい花を使いつつ、その上でネイチャーっぽい空気感を出すのは欲張りすぎですかね。ほら、御社は環境保全の活動もされてるでしょ。知らない人も多いと思うから」

「ネイチャー系はいいですね。植物だけでなく、鳥や動物も蘇ってくるような感じにして、アースカラーメインにしながら、華やかなカラーでフラワーモチーフをポイントで使っていくと、物語性も演出しやすいかも」

「衣装のイメージもしやすそうね。神奈木くんはどう思う？」

　加藤が瑛介に目を向けてくる。予想以上に真面目な花南の態度に内心驚きつつ、瑛介は大きく頷いた。

「本社の承認は初案ですでに通っているので、変更届は出さなければなりませんが、この方向性は本社受けもいいと思います。近年は社会貢献のイメージも重要なので。画的にも、僕が把握しているかぎりでは、ほかの国での展開やブランドに似ているものはないと思います」

「よかった。差し出がましいかなと思ったんですけど、御社の商品はどれも愛用してるから、今回の仕事が嬉しくて。それで打ち合わせも、無理を言って同席させてもらったんです」

　はにかむような表情を見せる花南は、仕事熱心な感じのいい青年にしか見えなかった。普通、モデル本人がここまで仕事の内容に口を出すことはない。だが、好意と熱意を持って向きあってもらえるのはこちらとしても嬉しいものだ。「わがままですみません」と謝っているマネージャーも、花南の仕事姿勢は自慢なようで、表情は明るく誇らしそうだった。きっと、どこの現場でも花南の評判はいいのだろう。

「では、この方向で進めさせていただいて、撮影の日程は改めてご連絡いたしますね」

満足そうにしめくくった中村が、きらきらした目を花南に向けた。

「撮影もとても楽しみです。町谷さんの瞳ってアースアイだから、今回のコンセプトにもぴったりだし、すごく素敵な画に仕上がりそうですよね」

「俺の目のことまで、よくご存じですね」

愛想よく驚いてみせた花南は目元を押さえた。

「一般的にはアースアイなんですけど、自分ではコスモアイって呼んでるんですよ」

「コスモ？　宇宙ですか？」

「はい。三年前に宇宙みたいだって言ってくれた人がいて、それから」

ちらりと視線が投げかけられ、完全に仕事モードの花南の態度に油断していた瑛介は、思わずびくりとした。甘い色を含んだ眼差しとともに、ほんの一瞬だがグレアが感じられ、遅れて鼓動が速くなってくる。

「コスモアイって強そうな響きでしょ。アースアイっていう穏やかなイメージも好きですけど、かっこいいほうが憧れちゃって」

冗談めかして笑う花南にみんながつられて笑い、和気藹々《あいあい》とした雰囲気になったが、瑛介だけが笑えなかった。脚が細かく震えていて、落ち着こうとしても耳がいつまでも熱い。

俯いているうちに打ち合わせは終わり、加藤たちが見送るために立ち上がる。花南はにこやかに握手を求めた。

「撮影だけじゃなくて、新商品もすごく楽しみにしてます」

「サンプルができたらすぐに事務所にお送りします」

「ありがたくいただきますけど、ちゃんとお店でも買いますよ。中村さんも、これからよろしくお願いしますね」

「は、はい、こちらこそ」

声を上ずらせて真っ赤になった中村と握手をすると、花南は瑛介にも手を差し伸べた。拒むわけにもいかず、そろそろと右手を出すと、ぐっと握り込まれる。同時に、顔が近づいた。

「部長さんがＤｏｍだってわかってたらキスマークつけておいたのに、残念」

低い囁きが電流のように身体を貫いて、瑛介は立ち尽くした。

花南たちは応接室を出ていく。ひとり取り残されてドアが閉まると、糸が切れたようにぺたんと座り込んだ。

（なんだこれ……グレアを、ちょっと浴びただけ、なのに）

押さえずにはいられないほど心臓が痛い。息は浅く荒く、腹の中がじくじくと熱かった。脚に力が入らないのに這ってでも追いかけたいような焦燥感があり、慣れない感覚に戸惑う。自分はなにも悪くないはずが、花南に謝りたかった。上司がＤｏｍだと打ち明けなかったのはわざとじゃない。嘘をついて背く気はなかったのだ——そう言い訳がしたくて、苦しい。

（くそ……落ち着け）

瑛介は背中を丸めて目を閉じた。しっかりしろ、と自分に言い聞かせる。

花南に謝る必要なんてないのだ。実質昨日が初対面で、上司の話などするタイミングはなかったし、彼と瑛介は恋人じゃない。昨晩のセックスは試しただけなのだから、あんなふうに所有物扱いされるいわれはない。

（そりゃ、種つけするとか言われたけど……あいつに怒る権利なんかない）

しっかりしろ、と今度は声に出して言い、どうにか立ち上がった。深呼吸してなにげない顔を装い、自分の席に戻る。ほどなく戻ってきた中村は、瑛介が一緒に見送らなかったことも気にならない様子で、興奮して椅子ごと回転した。

「も————最高すぎでしたね！　町谷花南！　ますます好きになっちゃいました」

「……そう？　けっこう生意気そうでしたけど」

わざと不機嫌な声を出すと、中村が信じられない、という顔をした。

「神奈木さんそんなこと思ってたんですか？　会議中は嬉しそうだったじゃないですか」

「……嬉しそうにはしてない、です」

「もしかしてイケメン全般に嫌いとかですか？　意地張らなくてもいいのに……花南くんだったら老若男女、みんな好きになっちゃいますよ。仕事は真面目で紳士的で、謙虚だし背も高いし笑うと可愛いのに黙ってると神秘的で美しいだなんて、完璧すぎますよね！」

　本当に紳士的なら、帰り際にグレアを浴びせたりはしない――と思ったが、口には出せなかった。中村はうっとりした顔でため息をつく。

「私、一生ファンでいます。撮影楽しみだし、できたらあと何回かはお話しさせてもらいたいなあ……」

「公私混同はよくないですよ」

　僕は会いたくない、と思いながら釘《くぎ》をさし、仕事に戻ろうとパソコンに向き直ると、スマートフォンが震えた。メッセージが届いていて、見覚えのないアイコンに眉をひそめてタップした瑛介は、表示された名前にぐっと奥歯を噛みしめた。花南からだ。

『次はいつ会いましょうか』

　まるで会うことは決まっているかのような文言に、むっとしながら返信する。

「ひとのスマホに勝手に連絡先を入れるな」

『だって、瑛介さんすぐ逃げちゃうから。今朝《けさ》だって、俺が待ってって言ったのに出ていっちゃったじゃないですか。目の腫れ、大丈夫ですか？』

「きみには関係ない」

『眼鏡してたの、腫れてるのが目立たないようにするためですよね。声も少し掠れてたけど、体調はいいはずです。顔色が昨日よりよかったからほっとしました』

なにがほっとしただよ白々しい、と小声で悪態をついて、瑛介は返信をやめた。きみのせいで最悪な気分だ、と思って、キーボードに乗せた手をふととめる。

――そういえば、今日は全然目眩がしない。不調は尻が痛いのとまぶたが腫れているだけで、いつもの、しつこくつきまとう倦怠感もなかった。

これが花南と――Ｄｏｍと寝た効果なのか、と思うと複雑だった。体調が安定するのはありがたいが、悔しい。スマートフォンは続けて三度メッセージの着信を告げたが、瑛介は無視して仕事をはじめた。

五分もしないうちに、今度は電話がかかってくる。一度は気づかないふりをしたものの、中村に「鳴ってますよ」と指摘されてしまい、瑛介は仕方なく廊下へと出た。見るまでもなく、相手は花南だ。

「電話番号まで勝手に登録するなんてどうかと思うよ。それに、仕事中は迷惑だ」

『だって瑛介さんが無視するから。時間をおいてあなたが不安になっちゃうくらいなら、仕事中でも電話したほうがいいと思って』

電話越しの花南の声は機嫌がよさそうだった。

『可愛かったな、最後に握手したとき。可哀想《かわいそう》なくらい強張ってて、あのあとひとりになったら腰が砕けたんじゃない？　見送り、来られなかったもんね』

「……っ誰のせいだと……」

かあっと顔が熱くなった。グレアに反応したことを、気づかれていたのだ。花南は悪びれもせず、「だって」と甘えるトーンで言った。

『気をつけてほしかったんだ。瑛介さんは魅力的なＳｕｂだから、部長さんも惹きつけられちゃうかもしれないでしょう？　これからはもっとマーキングをしっかりしなくちゃね。誰にもあなたを渡したくないもの』

「マーキングなんて必要ない。僕はきみのものじゃない」

精いっぱい不機嫌な声を出したつもりが、語尾が震えた。壁に背中を預けないとまた座り込んでしまいそうで、グレアを浴びてもいないのに、と悔しかった。

(なんでこんなに、身体が熱くなるんだ)

瑛介の虚勢に気づいているのか、いないのか、花南は抗議を完全に無視した。

『会社にＤｏｍは彼女だけ？　これからはちゃんと、周りにどんな人がいるか教えてね』

「――」

『次に会うのは来週の金曜にしましょう。夜八時に、俺のマンションまで来てください』

「僕は……会ってもいいなんて、言ってない」

『食事は抜いてきて。一緒に食べましょう。三連休だから、翌日顔が腫れるのを気にしなくてもいいよね』

瑛介が逆らうとは微塵も思っていない口調だった。黙っていると、楽しそうにくすくすと笑う。

『そんなに怖がらないで。部長さんがＤｏｍだからやきもちやいちゃったけど、俺は瑛介さんを傷つけたりはしないよ。昨日も平気だったでしょ？』

花南の声が機嫌を取るように甘くなる。いやでも行為が思い出され、口の中にじわりと唾液が湧いた。キス。舐めさせられた指と性器。髪を撫でる手つき。いい子だね、上手だねと褒めて、「ありがとう」と微笑む穏やかさ。強く腹の奥を突き上げた、熱い肉棒。

「……、僕、は」

いやだ、と言いたかった。花南が、というより、Ｄｏｍはいやなのだ。自分がＳｕｂだとつきつけられたくない。

『来週まで、時間をあげます』

動揺とためらいを見透かしたように、花南はそう言った。

『考えてみていやだったら来ないでくれればいい』

「……」

瑛介は俯いて床を見つめた。淡々とした声からは花南の表情を想像できない。強引かと思えばまるで興味がないかのようにすぐに引く態度を、どう受け取っていいかわからなかった。

（僕に興味がある――んだよな？　独占欲の塊みたいなこと言うくせに、なんで『来なくていい』なんて言うんだろう）

戸惑っていると、電話の向こうで花南が小さく笑った。

『ちなみに、このあとは神奈木楓くんと仕事です。彼、瑛介さんの従弟ですよね』

「なっ……か、楓と？」

どうして知っているんだ、と動揺してしまってから、瑛介は慌てて言った。

「言うなよ！　楓には、なにも、絶対言うな」

『じゃあお仕置きは、楓くんに言う、にしましょう』

花南は楽しげに言った。

『次のプレイで瑛介さんが上手にできないことがあったら、お仕置きとして瑛介さんと寝たことを楓くんに言います。でも安心してくださいね。楓くんはお喋りだけど、話すべきじゃないことを他人に言いふらしたりはしませんよ』

「安心なんかできるわけないだろ、馬鹿！」

楓に知られること自体がいやなのだ。思わず声を荒らげたが、花南は動じることなく、

「来週楽しみにしています」と言って通話を切った。瑛介は音のしなくなったスマートフォンを握りしめた。

——脅しになんか、屈するものか。

こびりついたように忘れられない記憶がある。幼稚園のころのピアノの発表会だ。幼い瑛介は音が出るものが好きで、おもちゃのピアノやハーモニカ、カスタネットなど、いつも鳴らして遊んでいた。音楽の才能があるのではと期待した両親はピアノ教室に通わせてくれ、瑛介もレッスンが大好きだった。発表会も楽しみで、おめかししてみんなの前で曲を披露し、たくさんの拍手とメダルをもらった。何位に入賞したかは覚えていないが、一番ではなく、でも悪い順位でもなかったはずだ。幼稚園の同じ組の友達がすごいと言ってくれ、彼らのお母さんやお父さんも、こぞって褒めてくれた。子供ながらに誇らしかったが、父と母は言ったのだ。

「とんでもない。うちの子なんて、ただ遊びの延長で。一位のお子さんみたいに才能があるわけじゃないから、お恥ずかしいです」

難しい単語はわからなかったが、褒められていないのは明らかだった。両親はがっかりしているのだ、と思うと、嬉しかった気持ちは一気にしぼんだ。

お父さんとお母さんは、僕のピアノが好きじゃない——そう刻み込まれるとレッスンに行くのがいやになり、ほどなくやめてしまった。

小学校に入ってからも、同じようなことは何度もあった。たとえばテストの点数。かけっこの順位や水泳の距離。夏休みの自由研究。読んだ本の内容や冊数、行儀や礼儀。はては背の高さや顔立ちまで、両親は瑛介が褒められるたびに、「うちの子なんて」と謙遜した。

あとから知ったことだが、帰国子女で海外での仕事が多い父は、瑛介に日本以外で教育を受けさせたかったらしい。母が反対して日本で暮らすことになったのを根に持っていたのだろう、父は瑛介への評価が厳しかったのだ。瑛介でもアメリカの学校に通わせればもっとできた、というようなことを何度か口にするのを聞いたことがある。母は父に反発し、自分の選択が間違っていなかったと証明したいがために、瑛介には常に「優等生」であることを求めた。もっとできると奮起させたくて、あえて褒めることをしなかったらしい。

だが、大人になってそうした両親の心境を知っても、謙遜されるたびに自分がだめなのだと感じた惨めさは消えなかった。

とくに、従弟の楓が生まれてからはつらかった。四歳年下の楓は赤ちゃんのころから愛らしく、明るく無垢《むく》な笑顔だけで褒められた。生意気なくらい素直な性格も可愛いと、瑛介の両親もめろめろだった。瑛介そっちのけで楓に夢中な親や伯父《おじ》、伯母《おば》を見ているとたまらなく疎外感があり、拗ねたこともある。だが気を引こうとすれば、「お兄ちゃんでしょ」と怒られるばかりで、それが余計に瑛介を傷つけた。

それでも外では先生に褒められることもあったのだが、同じ小学校に楓が入ってくると、瑛介は学校でも「目立たなくてつまらない子」になった。すでにキッズモデルとして活動をはじめていた楓は有名人だったのだ。誰と会っても、なにをしても、瑛介は瑛介という個人ではなく、「楓くんの従兄《いとこ》」でしかなかった。

楓くんと従兄弟《いとこ》同士なんて羨ましい、と言われて過ごすのは苦しくて、早く中学校に行きたかった。四つ離れている楓と、同じ時期に同じ学校にいなくてすむからだ。幸い楓は私立に進んで後輩になることもなくなったが、誰も自分には興味を持ってくれない、という思いは残ってしまった。

小学校の途中までは両親に褒めてほしくて努力していたが、いつしか他人に認められたい、と願って頑張るようになっていた。勉強もスポーツはもちろん、クラスメイトや近所の人には常に親切を心がけていたから、教師の評判はよかったし、同級生から頼りにもされた。「瑛介のおかげで助かる」なんて言われれば誇らしかったけれど、Ｓｕｂだと判定が出てからは誰とも親しくつきあえなくなった。

そのまま今にいたるわけだが、瑛介だって、自分が鬱屈しているのを、楓のせいにする気はない。けれど、楓を無条件で好きになることもできなかった。対抗心はもうなくても、せめて、楓本人に馬鹿にされたくない。Ｓｕｂ性を、一番知られたくない相手も楓なのだ。

だから絶対に断る、と固く決心して、瑛介はマンションのエントランスで呼び出しボタンを押した。

今日は約束の金曜日だ。電話で話して終わらせることも考えたが、直接会わないのを怯えているせいだと思われそうで、結局出向いてきた。花南はすぐに応答し、エントランスを開けて中に入れてくれた。

エレベーターで六階に上がり、部屋のインターフォンを押すと、ほとんど同じタイミングでドアがひらいた。

「おかえりなさい、瑛介さん」

「……ここは僕の家じゃない」

「でも、仕事帰りでしょ。入って、すぐにごはん食べられるから」

渋面の瑛介にも花南はにこやかに言い、中へと招き入れる。奥のリビングダイニングへと進むと、すでにテーブルには料理が並んでいた。

「スーツ、上着脱いでね。かけておいてあげる。手を洗ったら座ってて」

甲斐甲斐しくボタンを外そうとされ、瑛介はすばやく避けて自分でジャケットを脱いだ。怒ることなく受け取った花南は眩《まぶ》しそうに見つめてくる。

「仕事でスーツのこともあるんだね。このあいだはネクタイしてなかったから、いつもカジュアルなのかと思った」

「今日は挨拶回りがあったんだ」

広告営業の担当者と、よく世話になる雑誌媒体の編集長を何人か訪ねたのだ。初対面のため、久しぶりにスーツを着ていた。

「じゃあ疲れてるよね。おなかは？　すいてる？」

「……べつに、普通だよ」

瑛介はテーブルを眺めた。二人用の小さな食卓に並んでいるのは豚の生姜焼きに酢の物、カラフルな野菜の焼き浸しだ。どれも瑛介の好物だった。

「これ……きみが作ったの？」

「うん。ごはんとお味噌汁《みそしる》、今持ってくるね」

花南はキッチンに向かっていく。本当は話だけしてすぐに帰るつもりだったのだが、食事をしていけばそれだけ堂々として見えるかもしれない、と思い直し、手を洗った。食卓につくとすぐに茶碗《ちやわん》も並べられ、向かいに座った花南が「いただきます」と手をあわせる。

「俺もおなかすいちゃった。さめないうちに食べて」

「……いただきます」

味噌汁から箸をつけると、思っていた以上においしかった。出汁《だし》がよくきいていて、味噌の香りが心地よい。具材も瑛介が一番好きな豆腐とわかめで、つい満足のため息が出る。続けて食べた生姜焼きも甘辛い味がほどよくて、玉ねぎがたっぷりなのが嬉しかった。

「どう、瑛介さん。おいしい？」

「――おいしいよ」

　嘘はつけずにしぶしぶ頷くと、花南はぱあっと笑顔になった。

「よかった！　たくさん食べてね。足りなかったら焼き浸しはまだあるし、簡単なのでよければ追加でなにか作るよ」

「料理、得意なの？」

「だいたいは自炊してる。和食も洋食も、中華もタイ料理とかも作るよ。今日は瑛介さんが好きな和食系にしたんだ」

　弾んだ花南の声に、器用なんだなと思いながら焼き浸しを口に運び、それから瑛介ははっとした。

「僕、和食が好きだなんて言った？」

「ああ、楓くんに聞いたんだ」

　こともなげに花南は言う。

「食べ物の好みまで細かく把握してるなんて、従兄弟っていうより兄弟みたいだね」

「か……楓には言わないって約束だろ！」

信じられなくて、瑛介は花南を睨みつけた。

「来てやったのに、もう楓にはばらしてたなんて、最低だぞ」

「違うってば、勘違いしないで」

花南は笑って手を伸ばした。頭を撫でようとされて避けると、寂しげに首をかしげる。

「楓くんに言うのは、次のプレイで瑛介さんが上手にできなかったらお仕置きでって言ったでしょう。ルールを破ったりしてないよ。エッチしたことも、瑛介さんがＳｕｂなことも言ってないし、再会できたことも伝えてない。今度あなたの会社で仕事することだって、楓くんは知らないよ」

「でも、楓に僕の好物は聞いたんだろ」

「聞いたのはもうずいぶん前だよ。空港で親切にしてもらったことがあるって言ったら、えいちゃんぽいって嬉しそうで、仲がいいって言ってたから、瑛介さんの好きなものを教えてよって頼んだの。いつか再会できたときに、お礼に食べさせてあげたいって言ったら楓くん、感激してた」

そう言われると目に浮かぶようだった。瑛介はそっけなくしているのだが、楓は妙になついている。誰からも愛されるから、従兄に苦手に思われているなどとは想像もしないのだろう。面と向かって嫌いだと言ったら泣きそうだ。

（楓なら、理由を説明しても、全然理解できないんだろうな）

先週から今日まで何度も反芻《はんすう》した過去の苦い経験を思い返して、瑛介は生姜焼きの玉ねぎを噛んだ。甘いはずのそれが、舌に苦味を残す。

「――楓とは、仲がいいわけじゃないよ。親同士が仲がいいだけだ」

「苗字が同じだから、父方の従兄弟ですよね」

「そう。父親同士が兄弟なんだけど、母たちも気があうみたいで、よく二人で出かけたりしてる。でも僕は、仲良くないから。楓にはほんとに、余計なことは言わないでくれ」

意図したよりも重たい声になってしまったが、そのおかげか花南は真顔で頷いた。

「わかりました。これからは気をつけますね」

「……頼むよ」

意外にも素直な返事に、瑛介は花南を盗み見た。行儀よく食事をしている彼からは、いっさいＤｏｍの気配がしない。先日の打ち合わせと違いノーメイクなせいか華やかなオーラもなく、かわりに瑞々《みずみず》しくナチュラルな雰囲気だった。着ているものもスウェットで、顔はいいけれど親しみやすい、ただのニュートラルにしか見えない。

一般に、Ｄｏｍは人を惹きつける容姿が多いと言われている。きつめの美しさを備えている者が大半で、部長の加藤もきりりとした美貌だ。瑛介も、普段はそういう外見の人間には近寄らないようにしていた。だが、花南の端整さは棘《とげ》がない。

(――最初の夜も、命令されたけど、威圧されて怖いって感じじゃなかった)

自分がどうなるかわからない不安はあったが、命じるときの声は甘やかで、むしろ記憶に強く残っているのは褒める口調だ。まるで心の底から喜んでいるように、「いい子」や「偉いね」と言って、抱きしめてくれた。

「瑛介さん？」

視線に気づいたのか、きょとんとした顔で花南が見てくる。瑛介は慌てて視線を逸らした。

「いや……その、きみの家族はどうなのかなと思って」

「俺の家族？」

「詮索する気はないけど、ただ、僕はきみのことをなにも知らないから」

咄嗟に口をついた言い訳だったが、興味はあった。花南はＤｏｍとしては珍しいタイプだ。楓みたいにちやほやされてきたのだろうか。

「瑛介さんに聞いてもらえるのは嬉しいけど、面白いことはなんにもないですよ。ただのよくある家庭です。弟がひとりいて、両親も健在で、家族仲はごく普通って感じ。俳優になりたいって言ったときは反対されました」

「――まあ、普通はそうかもね」

「父は今でも反対してるので、話はしないですね。母は波風を立てたくない人だから、彼女とも連絡はほとんどしてないです。弟とは昔からお互いに不干渉でしたけど、今のほうが嫌われてるかも」

さらりとした口ぶりからは悪意や悔しさは感じられなかったが、仲がいいわけではなさそうだった。意外に思いつつ、瑛介は続けて聞いた。

「どうして？」

「高校生なんですけど、俺が兄だっていうので、学校でいろいろ言われるらしいです。サインもらってよとか、家ではどんな感じなのとか、鬱陶しいみたいで」

「あー……それは、わかる」

瑛介としては弟に共感するしかなかった。小学校時代、楓の従兄ということで、何度つらい思いをしたかわからない。その後は彼と血縁であることはひた隠しにしてきた。神奈木という苗字は珍しいほうだが、楓の苗字は芸名だと思っている人も多いのと、顔立ちが似ていないのが幸いし、今まで勘繰られたことはなかった。

「高校生だと多感な年頃だし、いやに思っちゃうのも仕方ないだろうね」

「でも、俺のせいじゃないですよ」

花南は初めて、面白くなさそうに眉根を寄せた。

「瑛介さんがあいつの肩を持つなんてやだな。周りがなにを言うかなんて、俺がコントロールできることじゃないんだから、恨むならその人たちにしてほしいです」

「ファンのせいだって？　爽やかそうな顔してるのに、けっこう冷たいこと言うね」

「だって俺にはどうしようもないのは本当のことだし。それに、弟が迷惑そうにしてても声をかけてくるような人って、たぶん俺のファンでもないですよ。そのせいで俺がやりたいことをできないのも変でしょ？」

「それは……そうだけど」

花南の言い分は正論ではある。でも、正論だけでは割りきれない人だっている。弟のほうは割りきれないから花南を嫌うのだろう。

「きみって、思っていたよりドライなんだね」

三年前のわずかな時間を大切にして瑛介を待っているような男だから、もっと情に溺れるタイプなのかと思っていたのだが、余計に花南のことがわからなくなる。花南はにこっとして箸を置いた。

「ドライだったら三年も瑛介さんのこと追いかけませんよ。世界のすべての人に同じように心を割くことはできないでしょ。その線引きが、俺は他人よりはっきりしているだけです。――瑛介さんは、俺の特別だから」

「……っ！」

まともに向けられた瞳が複雑な色に煌めいて、瑛介はしまった、と歯噛みした。会話していたせいで油断してしまった。こうやってグレアとともに見据えられたら抗えないと、わかっていたのに。

「今日来てくれて、嬉しいです。実は半分くらいは、来てくれないかもって思ってた」

しおらしい口調で言いながら、目だけは燃えるように力強い。グレアが押し迫るようで、花南が立ち上がっても瑛介は動けなかった。背後から、包むように抱きしめられる。

「セーフワードは覚えていますよね」

「お——覚えて、るけど、でも」

耳に感じる吐息にぞくぞくと肌が粟立って、きつく目を閉じる。

（負けるな。僕はこんなことには屈しない。二度と会わないって言うために来たんだろ）

「僕は、今日は……もう、」

「もう我慢できないの？」

遮るように囁かれ、びくんと身体が跳ねた。ワイシャツの上から、花南の手のひらが乳首に触れている。ゆっくりと撫でられるだけでむずがゆい刺激が走り、そこがぷっくりと勃起するのがわかった。

「違う……っ、こういうのは、いやなんだ」

息が荒いのがいたたまれない。愛撫から逃れようと身じろぐと顎が上がり、喉にもそっと指が這った。

「ん……っ、ぁ」

「触れるの、好きでしょう？」

「っ、そうやって決めつけられたり、主導権を他人に握られるなんて、好きじゃない……っ」

花南の右手は執拗《しつよう》に胸を撫で回してくる。すっかり硬くなった乳首がこすれ、痛いように疼く。疼きは下半身に伝わって、股間までが熱い。スラックスが盛り上がっているのに気づいて、瑛介は手を乗せて隠した。

「僕は……Ｓｕｂかもしれないけど、指図されるのも、命令されるのも、嫌いなんだ」

「ちょうどぴったりですね」

花南はちゅっと耳朶《じだ》に口づけた。

「俺はＤｏｍだけど、わがままを言われたり尽くしたりするのが好きなんです。普段の生活でも、ベッドの中でも、なんでもしてあげたい。その人がずっと心地よく、気持ちよくいてくれるようにしたいんです」

「……嘘、だ。命令、するだろ」

ネクタイに花南の左手の指がかかり、それだけで息が乱れた。ほどかれたくない。なのに、手の下で自分の分身はむくむくと頭をもたげてくる。

「コマンドは尽くすためですよ」

味わわせるように時間をかけてネクタイをゆるめ、花南はなおも胸を撫でた。決してつままず、手のひらだけで乳首を刺激する。

「コマンドを出すのもお仕置きするのも、ときどきはちょっと意地悪するのも、いろんな準備をするのも、相手の——瑛介さんのためです。あなたが、俺にならいいって思えるように。全部見せて、限界まで気持ちよくなってもいいんだって、安心してもらうために」

「そんなの詭弁《きべん》、……うっ」

親指が乳首を掠めて、強烈な快感に腰が動いた。浅い息を繰り返しているせいか、口の中が乾き、意識がぼうっとしてくる。花南はシャツのボタンをひとつ外した。

「ねえ瑛介さん。俺の王様になって」

「お、……う、さま？」

「うん。俺、あなたの下僕になって、傅《かしず》きたいんです」

「……ぁ、っ」

くつろげられた襟元からすべり込んだ指が直接肌を撫で、たまらずに声が漏れた。鎖骨をたどった花南の指は喉を這い上がり、つうっ、と顎を撫でる。そのまま唇に触れられ、舌の付け根がじゅくんと痛んだ。

（い、入れられる……っ）

「俺はあなたの下僕だから、普段はもちろん、セックスのときも主導権を握るのは瑛介さんです。セーフワードはそのためですもん。いやなことはやめさせて、気持ちいいことだけするための、一番強い命令の言葉だよ」

優しく唇を撫でられて、瑛介は視線をそこに落とした。今にも入ってきそうなのに入れられないのがもどかしい。つ、と顎まで指を引き、花南は甘えるように「ね？」と言った。

「お願い。あなたに尽くさせて。俺は気持ちよくならなくていいんです。瑛介さんは大切な人だから、全部あなたが好きなようにしたい」

言葉にあわせてゆるゆると行き来した指が、再び唇に触れたかと思うと、ぬっと差し入れられた。

「ん、う……っ」

あたたかな異物にくらりと目眩がし、抗えずに吸いつくと、全身がひくひくした。ゆっくり出し入れされ、舌や上顎をこすられるのがたまらない。唇を窄めるとちゅくちゅくと音がたち、どろりと意識が溶けた。

（ずるい……、きもち、ぃ、……っ）

喉の奥まで痺れるほどの快感だった。この前よりも大胆に口の中をかき回されるのも、動きをあわせるように胸を愛撫されるのも感じてしまう。尖《とが》りきった乳首は痛いのに、いっそきつくつままれたいほどよくて、身体が勝手にゆらめいた。

「気持ちいいね、瑛介さん。おっぱいも好きそうで嬉しいな」

上から覗き込むように、花南が見つめてくる。

「顔も赤くなって、目がうるんじゃったね。俺のこと幸せな気持ちにしてくれたから、ご褒美に上顎をいっぱいいじめてあげますね」

「んぅ、……っ、ん、……っ」

首を振りかけるとずるりと指が抜け、唾液がこぼれた。それを掬うようにして、今度は二本入れられる。宣言どおり上顎の奥までこするように突き入れられ、こすりながら一定の速度で抜き差しを繰り返されると、もうだめだった。

「……っ、ん、……ん、ん……ッ」

びく、びく、と胃のあたりが痙攣し、瑛介は射精していた。がくんと頭が揺れ、視界が暗転する。下着が汚れる感触はしばらく続き、やがて脱力すると、花南は愛おしげに抱きしめてきた。

「瑛介さん、可愛い。大好き」

つたないくらい、まっすぐな言葉だった。

「お願い、泊まっていって。あなたのこと抱きしめて離したくない。……ね？　帰らないで」

それが命令だと、ぼやけた頭でもわかっていた。下手に出てねだるのを装いつつ、グレアははっきりと放出されている。だが、感じられるのは威圧感や強制する傲慢さではなく、ひだまりのようなあたたかさだった。

警戒心をなくさせる温もりに、これなら、とぼんやり思う。

（これなら――いつでも、やめられる）

花南は想像していたＤｏｍとは全然違う。一度目より二度目のほうがずっとやわらかな態度で、まるで本当に瑛介のほうが王様みたいだ。彼が相手なら、逆らうのも、あるいはコマンドに従うのも怖くなかった。主導権を渡すわけではないのだ、と考えると、身体の芯から強張りが抜けていく。

屈するのが自分ではなく花南のほうなら、抱かせてやってもプライドは傷つかない。

「……わかった」

ごく小さく頷くと、花南は嬉しそうに「ありがとう」と抱きしめ直した。

「俺、いっぱい頑張りますね。――シャワー、浴びてきて」

すっと手が股間に下りた。あ、と声を漏らした瑛介の耳を、花南はかるく噛む。

「精液ついちゃって気持ち悪いでしょう？　綺麗にしようね。ひとりで浴びられますか？」

「……でき、る」

かすかな痛みで、さあっとまた体温が上がってくる。花南は何度も首筋に口づけた。

「上がったら、身体は拭かせてね」

優しく手を握られ、ふらつきながら立ち上がると、今度は唇を吸われた。丁寧で、今すぐにでも抱きたい、と言いたげなキスに、じんと胸が痺れた。

——花南は本当に、瑛介が好きなのだ。

その実感は、ひどく瑛介を満足させた。

(もちろん、まだ信じたわけじゃないけど)

舞い上がりそうなのを抑えつつシャワーを浴びたが、上がると待ち構えていた花南がバスタオルで包むように拭いてくれ、ためらいなく跪かれるとどきどきした。片方ずつ瑛介の足を持ち上げ、丹念に水気を拭う花南の仕草は、まるで召使いのようだった。ふかふかのバスローブを着せかけ、彼は懇願するような目つきで瑛介を見た。

「ねえ、ベッドまで抱っこで運ばせて？」

「……重いよ」

さあっとうなじを熱が駆け抜けていく。くすぐったいような喜びに顔を背けると、花南は「安心して」と手の甲に口づけた。

「鍛えてるから。この前も大丈夫だったでしょ？」

自信たっぷりに言うだけあって、ぐっと肩を抱き寄せ、膝を掬う動作は危なげがなかった。ドアを開け放してあった寝室へと運ばれ、静かにベッドに下ろされる。花南はじっと瑛介を見つめると、額を押し当てた。

「瑛介さんがここにいてくれて、すごく嬉しいです」

「大袈裟《おおげさ》だな……」

「だって、こうやって触ってるだけで幸せになるんだもん」

熱っぽい目つきで顔を撫でた花南は、まぶたを伏せると唇をあわせた。かるくついばまれ、瑛介も目を閉じた。唇をひらいて受け入れれば、キスはすぐに深くなる。

「……ん、……ふ、……っ」

「もう脱いで、瑛介さん」

花南は着せたばかりのバスローブを剝《は》ぎ取る。たった数秒離れただけでも惜しいというように情熱的に唇が重なり、背筋がぞくりとした。

（こんなキス、されたことない……）

求められる充足感で、瑛介の意識も蕩けていくようだ。

ちゅっ、じゅっ、と音をさせながら唇や舌を吸われ、吐息を漏らすと興奮したように舌が差し入れられた。激しく歯列を舐め回されて、瑛介は花南の肩を摑んだ。

初回よりもずっと幸福を感じるのは、変な緊張が抜けたせいだろう。そっと抱き寄せると花南の手がうなじに絡みつき、その力強さにもうっとりした。全身にかかる彼の体重も、伝わってくる体温も違和感がない。上司と寝ようとしたときはあんなにいやだったのに、花南に組み敷かれるのはむしろ安らぐ。

「瑛介さん」

瑛介の唇を貪っていた花南が、息を乱しながら呼んだ。目を開けると髪を撫でられる。

「瑛介さんに抱きしめてもらうのも天国みたいだけど、今日は動かないで」

「え？」

「この前質問したとき、ひとつだけ好きそうにしてたでしょ。だから買ったんだ」

にっこりした彼はベッド脇の引き出しを開けた。取り出されたのは白いふわふわしてものので、やわらかそうな輪がふたつ、鎖でつながっている。

「――手錠？」

まさか使う気なのかと呆然と見上げると、花南は当然、と言うように頷いた。

「そうだよ。痛くないタイプのだから、ただ動けないだけ。うつ伏せになって？」

「……、ぁ、」

そんな隷属するみたいな行為はできない、と思ったのに、見下ろして命じられると身体が震えた。甘いほど優しく微笑みを浮かべている花南が、優雅に手錠をかかげてみせた。

「キスで気持ちよくなれたでしょう？　瑛介さんが可愛いから、今日も先にご褒美をあげたんだ。うつ伏せになって手錠をつけたら、レッスンの時間だよ」

「レッスン……？」

「瑛介さんの好きなことを、俺が覚えるレッスンだ。――ほら、うつ伏せにならないと」

再度促されるとびくんと肩が揺れ、ついで、じゅわりと股間が熱を帯びた。喉が干上がり、浅く喘ぐ。

——従いたい。だって、従えば……花南が、褒めてくれる。

Ｓｕｂそのものの思考に奥歯を嚙みしめ、けれど抵抗はできなかった。

のろのろと向きを変えて両手と両膝をシーツにつけると、後頭部を押さえられる。頭を枕に落として腰だけを上げる格好で両手首を背中に回され、瑛介は胸がずきずきと痛むのを覚えた。屈辱だ、という思いがないわけじゃない。なのに痛いほど鼓動が速いのは、明らかに期待のせいだった。

「もう勃ってるね、瑛介さん。先っぽ濡れてるの、気づいてる？」

羽のような感触の手錠をつけながら花南が言う。瑛介は答えずに唇を嚙んだ。そうしていないと、みっともなく喘ぎそうだった。痛みはないのに、後ろ手に拘束されたと考えるだけで胃の底が熱い。うつ伏せで尻を上げた格好を思うと、こらえようとしても身体がくねった。

「ふっ……、ぅ、……っ」

「動けないの好きみたいだね。これからはときどき手錠もつけてあげるね」

花南は手錠をかけた手首を摑んだ。引っぱり起こされておずおずと振り返れば、舌をねっとり押し込むキスをされる。

「んむっ……、ふ、ぁっ、……んッ」

ちゅくちゅくと舌をしゃぶらされ、さっきよりも大胆に腰が動いてしまう。しばらくキスしてくれたあと、花南は褒めるように頭を撫でた。

「お口気持ちいいね。ほかのところも好きかどうか確かめるから、これもつけましょう」

見せられたのは細長い布だった。足も縛るのか、と思ったが、花南はそれを瑛介の目元に巻きつけた。

「——っ、見えない……っ」

「次になにされるかわからない分、素直に反応できるでしょ。怖いことはなにもないから安心して」

きゅっと頭の後ろで結ばれ、瑛介は「でも」と言いかけた。その口に遠慮なく指が差し込まれ、反射的に背中が反り返る。

「うっ……ん、……んっ」

上顎を前後にこすられ、眼裏がちかちかした。花南は二本の指で舌を捏《こ》ね回し、たっぷり唾液をまとわせると引き抜いて、瑛介の肩を抱いた。

「気持ちいいでしょう？　俺に寄りかかって、リラックスして」

「っ、でも……、こ、怖い」

「怖くなったらまたキスしてあげる」

なだめるように口づけられ、口の中を愛撫されると、いやでも力が抜けた。だが、なにも見えない不安で肌は過敏になっていて、びりびりと痺れるようだ。せめてなにをするか教えてくれ、と頼もうとした途端、胸に鈍い痛みが走って、瑛介は喉を反らせた。

「あ、あああっ」

「さっきシャツ越しに撫でてたとき、硬くなってたよね、乳首」

花南はつまんだ乳首をやんわりと引っぱった。それだけでまた鈍痛が駆け抜け、やあ、と声が出る。

「そ、それ、や……、痛い……」

「硬くなってるから痛い気がするんだよ。本当は気持ちいいんだ」

今度は埋め込むように上から押さえてこりこりと刺激され、背がしなる。耳にはぴったりと唇が当たった。

「よく感じて？　おっぱいいじられるとじーんとして、おなかの奥が熱くなるでしょう？」

「……ぁ、……あ、……ぁっ」

「お尻の孔もむずむずしてくるよ。射精するより入れてほしくなるんだ」

低い囁きが耳から脳まで染みるようだった。彼の言うとおり腹が熱い、と自覚すると尻の孔も疼いて、太腿がびくびくした。両手が胸に這い、ゆっくりと根元から乳首をつまみ出す。

「孔も、孔の中も、濡れたみたいに感じるよね？」

「っぁ、……ぅ、……ッ」

窄まりの襞がかゆかった。熱を帯びたそこがうずうずとうごめいているようで、腰が前後に動いた。性器もぱんぱんに張りつめていて、こすりたくてたまらない。なのに、両手は後ろで固定されていて使えないのだ。

花南の太腿に尻をすりつける動きに、彼は幸せそうな笑い声をたてた。

「瑛介さんのお尻、もうおねだりしてて可愛いね」

「ちが……っ、これ、は、……ッ」

「お尻の孔ももちろんいじってあげるけど、まずはおっぱいだよ」

「〜〜〜〜っ！」

言いながら強く引っぱられ、声にならない悲鳴が喉の奥でくぐもった。閉じた眼裏で光が明滅し、きつく背中が反り返る。

「やっ……のび、伸びちゃうっ、い……たい、から、ぁっ」

「でも、お汁垂れてるよ？　こうやって強く引っぱられたあとで、こんなふうに」

乳首を解放した花南は、触れるか触れないかの強さで尖りの先を撫でた。

「はっ……ぁ、……ああ……」

「そうっといじられるのも気持ちいいよね？」

「ぅ……、あ、……っ、ふ、……っ」

ひりつく乳首の回り、色づいた乳輪も指先で撫でられて、ゆるみきった声が出てしまう。痛みは残っているのにそれが甘い快感に感じられ、はあっと熱い息を漏らすと、再び乳首をつままれた。

「待っ、や、まだ、まだ痛、……っ、あ、あぁあああっ」

ぎゅうっと絞り出す動きでつままれ、飛び出た乳首の先っぽだけを指で捏ね回される。瑛介は仰け反る格好のまま、ぐっと腰を突き出した。刺激される乳首から下半身に向かって、快感が重たく響く。胸が熱く痺れるだけでなく、腹の奥深くもねっとりとだるい。

（これ……、中に、入れられたとき、みたいだ……）

体内がどろどろになって、自分ではコントロールできない、あの感じだ。組み敷かれ、屈服し、抱かれる快楽。

「あ……、あ、……ぁ、」

目隠しの下で涙が溢れた。身体が勝手に反応し、胸をこりこりといじめられるのにあわせて、はしたなく尻を振る。

「っは……、ぁ、……っ、――ッ！」

大きなうねりが下腹部に生まれて、とめられなかった。びしゃりと弾《はじ》ける感覚で射精して、瑛介は撒き散らされる精液を肌で感じた。

達してしまった。胸を――乳首を愛撫されただけで、性器には触れられてもいないのに。

「やっぱり瑛介さんが射精しちゃうとこ、すごくいいな」

花南は瑛介の肩越しに股間を覗き込み、太腿を汚した精液を指で拭った。

「いっぱい出たね。おっぱいだけで気持ちよくなってくれてありがとう」

「……っ、うれし、くない……っ」

声を出すとしゃくり上げてしまい、花南は頬に口づけてくる。

「嬉しくないって言うのに泣いてるの？　早く素直になってほしいなぁ」

「ほんとに、いやだって……っ」

「そう？　だったら『レッド』って言わなきゃ」

心配そうに花南の声が低くなり、瑛介は言葉につまった。忘れていたわけではないが、達かされるあいだ、一度も言おうとは思わなかった。

（べ……べつに、ああいうのが好きだからじゃなくて……花南がしたそうだったから——）

傅きたいと花南が言うからだ、と思い込もうとして、唇を噛む。

ごまかしたところで、心の底では理解していた。花南にされることが、嫌悪するほど不快ではないのだ。彼のくれる快楽を、本音では喜んでしまっているから、拒めない。

「セーフワードを言わないなら、このあとはご褒美にしますね」

花南が耳殻を舐めた。びくっ、と震えた瑛介の身体を、優しく前へと押し倒す。

「お尻の孔さみしかったでしょ？　いい子いい子しましょうね」

きゅん、と心臓が痛んだ。腰を反らせ、尻を突き出すポーズを取らされて、見えないとわかっていて首をねじる。

「あ、あんまり、強くは……し、ない、で」

今貫かれたら、どうなってしまうか想像もできなかった。絶対に前より気持ちいい。気持ちよくて、だめになりそうで怖い。

花南は反り返った腰から尻へのラインをそっと撫でた。

「もちろんですよ。瑛介さんへのご褒美で、俺はあなたに奉仕するんですから——してほしいことは全部言ってくださいね」

ちゅ、と尻たぶに口づけられて、ほっと力を抜く。窄まりに触れられるとひくんと身体が揺れたが、花南の指はごくゆっくりとそこを揉みほぐした。

「ぬめぬめしてるのわかります？　これ、さっき瑛介さんが出してくれたザーメンです」

「……な、なんで、そんなの、そこに……っぁ、」

浅く指が入れられ、摩擦感にきゅっと孔が窄まる。花南は塗り込めるように抜き差ししつつ、「だって」と言った。

「瑛介さんの、俺も味わいたいですから」

「味わう……？」

意味がわからず首を捻《ひね》った瑛介は、股間に息がかかるのを感じてはっとした。

まさか、と思うのと同時に、ぬるっとした熱いものが孔の中に入ってくる。

「――ッ、ば、か……っあ、舐め、……ん、ぁ、あっ」

くち、くち、と音をさせながら花南の舌が孔に出入りする。指はがっちりと尻に食い込んでいて、その強さにも目眩がした。濡れた舌はからかうように蟻《あり》の門渡《とわた》りや嚢《ふくろ》のほうにも伸び、薄い皮膚を通して熱が染みてくる。股間を唾液まみれにされ、再び舌を入れられると、届いていないはずの腹の奥までがじんと熱を帯びた。

「は……っん、ぅ、……っあ、……ん、んっ……」

「思ってたとおり、瑛介さんておいしいですね」

舌を回して孔の中をくつろげ、花南は満足げに言った。「それに、ちょっと舐めただけでまた大きくしちゃって、ほんとにお尻に入れられるのが好きなんですね」

「っ、好き、……じゃ、ない……っ」

「正直に言っていいんですよ？　俺は瑛介さんのことはなんでも大好きだから、全部見せて」

ちゅ、ちゅ、と孔や尻にキスして、花南は太腿を摑んでくる。ぶるぶる震えているそれを左右にひらかれ、持ち上げられると息がつまった。

「お尻、もっと上げて。また達くとこ見たいんです」

「む……りだ、これ、以上は……、ぁっ」

強引に尻を上げさせられ、崩れるように肩がシーツについた。脚のあいだから差し入れられた花南の右手が、勃起した性器を握る。上向きにしなっていた分身を、鈴口が下に向くように固定され、がくがく全身が揺れた。

「そうそう、いっぱい腰振ってくださいね。俺の手に自分でこすりつけていいですよ。瑛介さんの希望どおり、俺は優しく、優しく舐めるだけにしますから」

そう言うと、花南は窄まりにキスした。そのまま、舌を差し入れてくる。縁の襞をめくるように舐め回され、ひらきっぱなしの口からは喘ぎとも呻きともつかない声がこぼれた。

「ぅ……あ、……っひ、……ぅ……っ」

もどかしい快感で腹が腫れぼったい。もっと奥まで貫かれれば気持ちいいのに、入り口あたりしか舐めてもらえないから刺激が足りなかった。性器を握った手もただ向きを固定しているだけで、しごいてはくれない。たまらずに自分で腰を動かし、それでも足りなくて、瑛介は声を絞り出した。

「花、南……っ、も、もっと、して……っ」

「ほしいなら、明日も抱いてあげます」

「そ……じゃなくてっ、もっと、――、おく、……っ」

突いてほしい。花南の雄を挿入して、かき回してほしい。

「い――、いき、たい……っ」

ねだって腰を振り、握ってくれる手に己をこすりつけると、花南は優しい声を出した。

「だめですよ。強くしないでって、瑛介さんがおねだりしたんじゃないですか」

「……そんな、」

してほしいことはなんでも言えと言ったくせに、と呆然とすると、花南はもう一方の手でぺちぺちと尻を叩いた。

「孔をくちゅくちゅされるだけじゃ足りないって、これで覚えられましたよね」

「――っ」

「好きなだけお尻を動かしていいですから、それで達ってください。どうしても無理なら、くびれのとこはいじってあげます」

蕩けそうなほど優しい声なのに、譲る気配は微塵もない。瑛介はごくりと喉を鳴らし、身体の奥底から湧いてくる震えをこらえようとした。

「ご褒美だって言った……、おまえが、奉仕するって……っ」

「これがご奉仕ですよ。瑛介さん、追いつめられないとおねだりもできないでしょう?」

そっと唇が腰に触れる。

「もっともっと、おねだりできるように躾《しつ》けてあげるね」

ぶるっ、とこらえられない震えが襲い、涙が目尻を焼いた。いやだ、と抗う理性が、歓喜する本能に押し流される。

「……っい、……いき、た、い……っ、いき、たい……っ」

「射精したいの？　じゃあ、しごいてほしい？」

花南の唇は、腰から尻へと、孔に向かってキスを繰り返す。瑛介は身体を支えているせいでろくに動かない首で頷いた。

「して……、しごい、て……っ」

「泣いちゃって、嬉しいな。おねだりするのも気持ちいいんだね」

「――は、……ぁ、……ぅ、んっ」

じっくりと唇が窄まりを押し包む。舌で襞をくすぐられ、長い指で雁首を締めつけられて、腹が波打つように痙攣した。意識がすうっと暗くなる、危うい予感。

もう達く、と思ったとおり、いくらももたなかった。じゅくじゅくと舐められ、敏感な亀頭ばかりをいじられて射精する。

「あ、……、ひ……っ、……ッ」

それはかつてない達し方だった。射精というより漏らすかのように、少しずついつまでも白濁が漏れ、出なくなっても余韻に身体が跳ねる。びくん、びくん、と震えながら萎えた性器をしごかれ続け、最後にぷしゃりと透明な液を噴いてから、瑛介は力を失ってつっぷした。

「よくできました、瑛介さん」

花南の声が遠く、水を通したようににぶく聞こえた。

「潮吹きまでできて、すごいね。瑛介さんのこと、ますます好きになっちゃった」

のしかかるようにして抱きしめられ、唇を奪われる。なすがままキスを受け、瑛介はきれぎれに呟いた。

「待っ……みみなり、してて……」

このあと、花南は瑛介を抱くのだろう。二度射精しただけとは思えないほど身体がだるく、とても今すぐできる気がしなかった。せめて五分休ませてくれ、と頼みたかったのだが、花南はじゃれるようにキスすると目隠しをほどいた。

「安心して、今日はもうおしまいにしよう。疲れちゃったよね？」

「…………う、ん。でも」

しんどいが、花南だって性欲は発散したいはずだ。きみは、と口ごもると、花南はにこりと笑った。

「俺はあなたに尽くせるだけでも幸せだから、気にしないで。それより瑛介さん、自分で思っている以上に疲れているはずだよ。明日は一日ゆっくりしましょう」

手錠を外し、頭を撫でてくれた花南は、寝室を出ていくとタオルを持って戻ってきた。湯で濡らしたそれで、べたつく下腹部を拭いてくれる。綺麗にすると隣に身を横たえ、瑛介の首の下に腕を置く体勢になるよう抱き寄せた。そうして、甘えるように額を押しつける。

「俺、実は不眠症ぎみなんですけど」

「……きみが？」

「はい。どうしても眠れないとき用に薬も処方してもらってます。でも、この前瑛介さんが同じベッドにいてくれて、ぐっすり眠れたんです。夢の内容まで幸せで、目が覚めた瞬間も嬉しくて」

花南は照れくさそうな表情で、鼻先を触れあわせた。

「毎日、こうやって瑛介さんとくっついて寝られたらいいのに」

至近距離の甘え顔と声とに、不覚にも胸が疼いた。数秒迷って、瑛介は花南の頭を撫でてやった。

「おやすみ、花南」

「……おやすみなさい、瑛介さん」

素直に目を閉じる花南に、変なやつ、と思う。

傅きたいとか下僕になりたいとか言うようなおかしなＤｏｍで、そのくせ行為の最中は強引で横暴で、かと思えば「疲れているはずだから」と挿入はやめてしまう。躾けてあげる、などと言って瑛介を屈服させるのに、雄弁すぎる瞳にはたっぷりの愛情を込めて、年下らしく甘えてみせるのだ。

三年間、取るに足りない親切と会話をよすがに、探して待っていたという花南。

大好きだと、特別だと、惜しげもなく言葉にする花南。

穏やかな寝息をたてはじめた彼を見ていると、わけもなく悲しいような、苦しいような気がしてきて、瑛介は目を閉じた。逞しい花南の腕は硬いが、あたたかさが枕としては最高だ。抱きしめられていると裸でも寒くなく、そっと彼の背中に手を回し、明日もう一度聞いてみよう、と思う。

(そんなに僕が好きなの、きみは)

本当に？　どのくらい深く、愛してくれる？　一生信じさせてくれるだろうか。

聞いてみて、もし望む答えが返ってきたら――。

(……好きに、なっちゃうかも……)

初めて、心から恋ができるかもしれない。


三日後の祝日の月曜日、仕事に出かけていく花南を見送って、瑛介は壁の時計を確認した。午前十時。帰宅は夜七時すぎになる予定だと言っていたから、九時間ほどひとりで過ごすことになる。

「……買い物でもして、夕食用意しようかな」

合鍵はもらっている。出入りは自由でかまわないと言われていた。着せられていた花南の部屋着を脱ぎ、クローゼットを開けて、瑛介はひとり顔を赤らめた。

「絶対、普通じゃないよね、これ」

広い寝室の壁一面に造りつけられたクローゼットは幅が二メートル半ほどもあり、前後二列になっている。その左側三分の一ほどにかかっているのは、瑛介のサイズにあわせた新品の服だった。どれでも好きに使ってね、と一昨日《おととい》、花南はこともなげに言った。

「家にいるあいだはずっと裸でもいいし、俺の服を着てもらえたら最高だけど、瑛介さんがそれじゃいやなときもあるだろうと思ったから、揃えておいたんだよ」

もちろん俺の服を着てくれてもいいよ、とにこにこされ、土日とも外出しなかったこともあり、おとなしく手渡された部屋着を着ていたのだが、外に出るならサイズのあった服がいい。金曜日に着てきたのはスーツだったから、普段着が用意されていたのはありがたいけれど——普通、こんなふうに買い揃えたりはしない。「瑛介さんのためだから当たり前だよ」と主張する花南のほうがおかしい、はずだ。

合鍵もすでに用意してあったし、今日だって仕事とはいえ、家に瑛介を残していけば、見られたくないものを見られるとか、貴重品を盗まれるとか、多少なりとも用心するものだと瑛介は思う。つきあいの長い恋人ならともかく、自分たちはまだ出会って日が浅いのだ。だが、花南が言ったのは、「夜まで家にいて」ということだけだった。

「昼間は出かけててもいいけど、俺が帰ってきたときは家にいて、おかえりって言ってくれない？　瑛介さんと、ちょっとでも長く一緒にいたいんだ」

お願い、と抱きしめてキスされたら、帰るとはとても言えなかった。

（すっごいラブラブの恋人同士みたい）

赤面しながら着替え、一度家にも戻ろうとリビングに荷物を取りに行き、瑛介は改めて部屋を眺めた。

土日の二日間は、ほとんどこのリビングで過ごした。ソファーに並んで座り、配信映画を観たりゲームをしながら、好きなアーティストやクリエイター、映画監督のこと、好きな食べ物、犬と猫はどっちが好きかなど、とりとめもなく話をした。盛り上がったのはフランスでの話だ。花南は子供のころ、フランスに住んでいたことがあるらしく、道の汚さやホームパーティに呼ばれて時間どおりに行ったらいやな顔をされたネタで「あるある」と言いあえて、瑛介は久しぶりに声を出して笑った。

他愛のないやりとりとのんびりした時間は心地よかったし、花南が用意してくれる食事はおいしかった。彼の気遣いはこまやかで、喉が渇いたといえば飲み物を持ってきてくれるし、空調も部屋の明るさも、常に居心地がいいように調節してくれる。帰国以来の疲れが溜まっていたのか、瑛介がいつのまにか眠ってしまったときも、ブランケットをかけて寄り添い、目覚めるまで寝かせてくれた。折に触れて頭や頬にキスし、さりげなく抱き寄せたり撫でたりとスキンシップも怠らない。それが無理をしているふうでなく、いかにも自然なのだ。

たぶん、本物の王様だってこんなに大切には扱われないだろう。少なくとも瑛介は、子供のころでさえ、ここまで丁重に慈しまれたことはない。

（さすがに、今日はなにかお返ししたほうがいいよね）

ぼうっと熱い耳をこすって、瑛介は部屋を出た。鍵をかけ、いったん自宅のマンションへと戻る。考えた末に小さいボストンバッグに明日の出勤用の服や下着を用意して、雑誌の切り抜きなどをまとめたスクラップブックも入れた。フランスではつらい思いもしたけれど、アートに関しては充実していて、気に入ったデザインの広告を集めておいたのだ。花南が見たがっていたから、貸すつもりだった。

花南のマンションの近くで昼食をすませ、スーパーで食材を買って彼の部屋に帰り、掃除と洗濯をして、夕方から食事の支度にとりかかった。

瑛介も料理は好きなほうだ。作っているあいだは無心になれるから、休日には凝った料理をしたりもする。今日は花南を驚かせたくて、考えた末にボルシチにした。ピロシキとサラダも作って待っていると、予定どおり七時すぎに、花南が帰宅してきた。ただいま、という声に、キッチンから顔を出す。

「おかえり」

「すごいいい匂いがする。ごはん作ってくれたの？」

「ずっときみが作ってくれてただろ。普段も自炊してるみたいだったから、配達頼むよりいいかと思って。よそうから座って待ってて。あと、家からスクラップブックも持ってきたよ。昨日話した、フランスの広告のやつ。きみ、見たいって言ってたから」

「ほんとに!?　嬉しい、わざわざありがとう。借りてもいいの？」

「どうぞ。着替えは急げよ、すぐ食べたいだろ」

「はーい」

　小学生みたいに返事をしたのに、着替えて手を洗ってきた花南はキッチンへと来て、瑛介の腰を抱いた。

「えっ、なにこれ、スープ？」

「ボルシチだよ」

「すごい、じゃあこっちのピロシキも瑛介さんが作ってくれたの？」

「一応ね。調味料がたくさん揃ってるから、サラダのドレッシングも作ったよ」

「めちゃくちゃおいしそう！　すごく嬉しいよ瑛介さん」

　背後からぎゅっと抱きつかれ、瑛介は身を捩った。

「ほら、離れないとよそえないよ。座ってなってば」

「運ぶの手伝うね」

名残《なごり》惜しそうに後頭部にキスして、花南がやっと離れる。彼が棚から出してくれた食器にボルシチをよそい、運ぶのはまかせてピロシキも盛りつける。最後にサラダにドレッシングをかければ完成だ。

いただきます、と手をあわせた花南は期待に満ちた表情でボルシチをスプーンで掬った。たっぷりのそれを口に入れ、「あちっ」と顔をしかめる。痛そうに舌を出す仕草に、瑛介は思わず笑ってしまった。

「急いで食べるからだよ。火傷《やけど》しちゃった？」

「うん……痛いれす……」

情けない表情の花南の舌先が、たしかに赤くなっている。瑛介は水をくんできてやった。

「これでちゃんと冷やして。蜂蜜があれば、しばらく塗っておくと楽になるんだけど」

「蜂蜜はないなぁ。今度買っておきます。俺、猫舌だからよく火傷するんですよ」

眉根を寄せたままコップを両手で持つ仕草にもう一度笑ってしまい、瑛介はぽんと彼の頭に手を乗せた。

「猫舌なら余計気をつけて食べなよ」

「――うん」

花南は照れくさそうな、それでいて嬉しそうな顔で自分の椅子に戻る瑛介を見つめた。

「ありがとう、瑛介さん」

「水くらいで大袈裟だなあ。あ、ピロシキもまだ熱いと思うから、注意してね」

「はい」

妙に素直な花南は子供みたいだ。可愛いところもあるよな、と瑛介は思う。しばらく水で舌を冷やした花南は、今度は用心深くボルシチを口に入れ、ゆっくり咀嚼《そしゃく》した。

「……すっごくおいしい。こんなにおいしい料理、生まれて初めてだよ」

ため息まじりに言われ、瑛介は苦笑した。

「お世辞はいいよ。売れっ子なんだ、普段からいいもの食べ慣れてるだろう?」

「有名だっていう店に連れていかれることもあるけど、俺、外食があんまり好きじゃないんだ。他人が用意した食べ物って苦手だから」

花南はピロシキも頬張った。懲りずに「あち」と顔をしかめつつも幸せそうな表情に、瑛介は「嘘ばっかり」と言ってやった。

「そのピロシキだって、他人が用意した食べ物だよ。僕が作ったんだから」

「うん。わかってるけど、これはおいしいんだもん。普段は本当にだめなの。たまに実家に戻っても基本的には食べないし、現場のケータリングも苦手」

「もしかして潔癖症とか?」

「そういうわけじゃないよ。たぶん、かるくトラウマなんだと思う」

重たいことを、花南はさらりと言う。サラダを口に入れて「あ、これもおいしい」とはしゃぐ表情と言葉の内容がそぐわなくて、瑛介は眉根を寄せた。

「トラウマ？」

「病院で診断されるようなものじゃないけどね。もう五年前になるかなあ」

ボルシチ、ピロシキ、サラダとバランスよく口に運びつつ、花南は言った。

「俳優になろうって決めて、最初は地元の事務所に所属したんだ。入所審査は一発だったけど、仕事は思うようにはいかなくて、せめて人脈だけでも広げたいって焦ってた時期があって。事務所の先輩とか、その知り合いとか、誘われればどんな集まりでも行ったし、誘われなくても顔出したりしてた」

瑛介には縁のない苦労だが、なんとなくわかる気はする。相槌《あいづち》がわりに黙って頷くと、花南は少しだけ懐かしそうな顔をした。

「今思うと馬鹿な努力だなって思うけど、一生懸命だった。顔を出した集まりの中には、どう見てもよくない類《たぐい》のパーティもあったんだけど、秘密を口外しないと仲間だって認めてもらえる空気だったから、わざとそういうとこに参加したりしてさ。顔見知りも増えてきたころに、初めてモデルの仕事が取れたんだ」

「先輩か誰かの口利きだったの？」

「たぶん違うと思う。でも、仕事取れましたって言ったらみんな喜んでくれて、よし祝ってやるって言われて、嬉しかったですよ。クラブにもいっぱい人が集まって、俺もやっとここからだ、なんて張りきってました」

　五年前なら二十歳そこそこだ。舞い上がるのも無理はない。

「でも、浮かれて食べて、お酒飲んだら、俺、倒れるみたいに寝ちゃったんです。当時は悪酔いしたと思ってたけど、どれかに睡眠薬かなにかが入ってたみたいで」

「睡眠薬って——犯罪じゃないか」

　瑛介は顔をしかめたが、花南は薄く笑っただけだった。

「意識ないからあとから聞いた話ですけど、何人かで道路に運んで放置したんだって。で、俺は車に轢《ひ》かれて」

「轢かれたの⁉」

「はい。気づいたときは病院にいて、骨折してました。運よく脚だけですんだけど、一歩間違えば死んでたぞって、マネージャーに説教されました」

「そんなの、花南のせいじゃないんだろ？」

「叱られたときは俺も泥酔したせいだと思ってたから、反省するしかなかったですよ。でも、決まったはずのモデルの仕事は流れて、あの夜パーティに参加してた、仲がいいはずの人たちは誰も見舞いに来なくて、さすがにおかしいって気がついたんです。酒は強いほうだし、酔って道路で寝たことも、記憶をなくしたこともない。あの日はそこまで飲んでなかったはずだと思って――それで目が覚めたんです。パーティなんかいくら参加しても意味ないし、このまま地元にいても仕事はないだろうって」

　花南は穏やかな表情で目を伏せて、それから幸せそうに微笑んだ。

「それで、リハビリしたあとは事務所をやめて上京しました。アルバイトして、別の事務所に入れてもらって、オーディション受けて。最初からやり直しだったけど、気持ち的には楽だったな。やりたいことはやる、気の進まないことはやらないって決められたのは、一回死ぬかもしれない目に遭ったからだと思うから、怪我したのも悪くなかったです」

「――でも、今も痛むんだろう？　天気が悪いと痛くて、ひきずるって」

「おかげで瑛介さんにぶつかって、運命の人だって思えたんだからラッキーだよね？」

　ふふ、と花南が笑う。

「上京してからオーディションに受かるまでは一年くらいかかったんですけど、そのオーディションのときに監督に言われたんですよね。きみ、前は地方で、こういうパーティに参加してたよねって、昔の事務所の先輩たちの名前を出されて。泥酔して事故に遭ったんでしょって言われて、ああこの仕事もだめだなと思ったら、なぜか受かったんです」

「――受かったの？」

「現場に入ってから監督に聞いたら、そういう状態から頑張ってきたんだってわかる顔をしてるから、今回の役も演じきってくれると思うって言ってくれました」

「いい監督だね」

「俺もそう思います。そこから風向きが変わったんです。今のマネージャーがついてくれるようになったのもそのドラマが決まったときでした。ドラマの撮影が終わるころにはモデルの仕事が決まって、瑛介さんに出会って。大好きだって感じたら、それまで憎んでいたものとか、許せなかったこととか、全部どうでもよくなりました」

花南がまばたきして、じっと見つめてくる。

「最近だと、インタビューでも初めて会う人も、みんな俺のこと優しくて誠実で、真面目で好青年だって言うんです。素敵だってうっとりしてくれる人もたくさんいて、ときどき打ち明けたくなります。俺がこんなふうなのは、全部大好きな瑛介さんにつりあいたくて努力したからですよって」

「……馬鹿」

じん、と顔も胸も熱くなって、瑛介は視線を逸らした。

「きみが努力してるのは、僕に会う前からだろ」

「仕事ではそうだけど、人間として成長したいって思ったのは瑛介さんに出会ってからだよ。――ずっと見てたんです」

すっと視界に手が入り込んで、瑛介の手を握った。横目で見ると、テーブル越し、花南は身を乗り出して、真剣な顔だった。

「ぶつかったとき、瑛介さんチケットを落としたでしょう。それで名前がわかって、帰国したら調べようと思ってたんです。そしたらバーでも偶然再会できて、フランスで働くことになったって教えてくれたから、すぐにわかりました。しかも帰国後に雑誌の仕事で楓くんと一緒になって、こんなの運命以外ないよなって思えて——ずっと、瑛介さんがどんな仕事をしてるのかとか、ＳＮＳも見てたんです。ほとんど更新されてなかったけど、一生懸命仕事してる人なんだなって知ったから、俺も恥ずかしくない人間になろうって思えました」

「ＳＮＳって、それじゃストーカーだろ」

睨もうとしたが、力は入らなかった。瑛介は運命なんて信じていないし、調べたりＳＮＳをチェックされたり、気持ち悪く思うべきなのに、嬉しいみたいに心臓がどきどきする。そこまでするほど、花南は瑛介を気にしてくれたのだ。

俯いてしまうと、花南は握った手にそっと力を込めた。

「だって、絶対にあなたを諦めたくなかったんです。大好きなんだもの」

「大好きって……どこがそんなにいいわけ？　見た目だって、きみの仕事ならもっと綺麗な人間といっぱい会うだろう」

テーブルが邪魔に感じる。花南に抱きつきたくて——抱きしめてほしくて、肌がそわそわした。花南の過去を聞いてみれば、彼が美しいだけでなく努力もしてきたからこそ、人気があるのだとよくわかる。それ以上に、彼が隠さずに打ち明けてくれたのが嬉しかった。

　誰かとこんなふうに過去や思いをわかちあった経験が、瑛介にはなかった。もじもじと指を動かすと、花南はきゅっと握りしめてくる。

「全部大好きだけど、最初は勇気をくれたからだよ」

「勇気？」

「空港でぶつかったとき、ナーバスになってたんです。一度失敗してるから、また直前でだめになるかもって。万全の体調でのぞみたかったのに、出発の日は雨で脚が痛くて、いやな予感しかしなかった。うまく歩けなくて、ぶつかって転ぶなんてみっともねえって情けなかったときに、瑛介さんが親切にしてくれたんです。怒ってもよかったのに、しゃがんで俺の足に触って、痛かったですよねって言ってくれた。医務室に行くのを俺が感じ悪く断っても、気をつけてねって優しくて——ああ、ここにもいるって思ったんだ。ドラマの監督は俺が俳優だと知ってて応援してくれる人だけど、この人が俺が何者でもなくても親切にしてくれるんだなって。それが俺には、感動するくらい特別なことだったんです」

「あれは——きみを心底気遣ったわけじゃないよ」

　瑛介は首を横に振った。勘違いさせて惚《ほ》れられて、こちらのほうが舞い上がったらあとが怖い。戻れないほど溺れてから捨てられるのはいやだった。

「あの日は僕も体調が悪かったんだ。同僚にそれを知られたくなくて、だから必要以上にきみに親切にしただけだ」

「体調悪いのに俺のこと手助けしてくれたなんて、もっと嬉しいよ」

腰を浮かせ、花南はつないでいないほうの手で瑛介の前髪をかき上げた。

「無理しちゃうとこも好きだし、本当は寂しがり屋で、恋人には褒めてほしいって思ってるところも、自分がＳｕｂだって認められないところも、知れば知るほど好きになる」

「……っ」

「自分で思ってるより、瑛介さんは素敵な人だよ。こんなに好きで、尽くしたいって思ったことないもの」

額に触れた唇が、そっと口に重なる。触れるだけのキスをして、花南は囁いた。

「瑛介さんのことを、愛してるんだ」

「……花南」

目を閉じると涙がこぼれ落ちて、みっともない、と頭の片隅で思う。告白くらいで泣くなんて。けれど、涙を優しく拭われる感触は、否応なく瑛介を幸福にした。

「すごくキスしたいけど、ごはん、食べちゃおうか。瑛介さんの手料理残したくないもん」

「――うん」

すすり上げながら頷いて、残ったボルシチを口に運ぶ。涙の味がする食事を終えると、待ちかねたように花南が抱きしめてきて、二人でもつれるように寝室に向かった。

「ん……っ、ふ、ぁ、……んぅ……っ」

服を脱がせあいながらのキスが焦れったい。夢中で花南の舌に吸いつきかけ、瑛介は思い出してじっと口元を見つめた。

「火傷、もう痛くない？」

「平気だよ、瑛介さんがすぐお水をくれたから」

花南はそう言うと微笑した。

「困ったな。躾けてあげようと思ってたのに、瑛介さんてば心配してくれたりしてすごく可愛いから、我慢できなさそう」

「……躾けられたくないよ」

「だって、もっとたくさん褒めてあげたいんです。それに、俺は自分の恋人には俺だけを見ててほしい」

瑛介のパンツをひきずり下ろし、花南はじっと股間を見つめた。半ば反応したそこを熱く感じながら、瑛介も彼の身体に視線を向けた。筋肉の陰影と、角度をつけた性器。花南も昂っている、と思うと胸から喉へ塊が迫《せ》り上がるような、甘苦しさが襲う。

「僕は浮気するタイプじゃない。別れるときだって、いつも相手からだったよ」

「浮気だけじゃなくて、知らないところでオナニーされるのもいやなの」

花南は伸び上がるようにして覆いかぶさり、瑛介に口づけた。下唇をねぶり、お願い、と低く囁く。

「達くのは俺の前だけでして」

「……っ」

大きな手のひらがぴったり左胸にあてがわれ、ぞくぞくと震えが走った。金曜日に快感を覚え込まされた乳首を、手のひらで押し潰される。

「射精するのもドライで達くのも、俺の前以外ではしないで。——本当は今日からその練習がしたかったけど、でも今日は」

「……ぁ、……ぅ」

「抱きたい。つながって、いっぱいキスしたい。それだけでもいいですか？」

滲み出して包み込むようなグレアと懇願する低い声で、頭がくらくらした。窄まりが疼いて、無意識に尻が浮く。

金曜日は達かされたが、挿入はされていない。土日はいちゃいちゃしただけで、セックスはしなかった。ほぼ二週間ぶりだ、と思うと誕生日に与えられたあの圧倒的な快感が腹の奥に蘇り、涙腺がゆるんでくる。

「い……い、よ。——して」

POSTCARD

STAMP HERE

101-8405

東京都千代田区
神田三崎町2-18-11

二見書房
シャレード文庫愛読者 係

通販ご希望の方は、書籍リストをお送りしますのでお手数をおかけしてしまい恐縮ではございますが、**03-3515-2311までお電話くださいませ。**

＜ご住所＞ □□□-□□□□

＜お名前＞　　　　　　　　　　　　　　　　　様

＊誤送を防止するためアパート・マンション名は詳しくご記入ください。
＊これより下は発送の際には使用しません。

TEL	職業／学年
年齢　　　代	お買い上げ書店

Charade 愛読者アンケート

この本を何でお知りになりましたか？

1. 店頭　2. WEB（　　　　　）　3. その他（　　　　　　　　）

この本をお買い上げになった理由を教えてください（複数回答可）。

1. 作家が好きだから（小説家・イラストレーター・漫画家）

2. カバーが気に入ったから　3. 内容紹介を見て

4. その他（　　　　　　　　）

読みたいジャンルやカップリングはありますか？

最近読んで面白かったBL作品と作家名、その理由を教えてください（他社作品可）。

お読みいただいたご感想、またはご意見、ご要望をお聞かせください。

作品タイトル：

ご協力ありがとうございました。

お送りいただいたご感想がメルマガに掲載となった場合、オリジナルグッズをプレゼントいたします。

「また中出ししたい。種つけさせてくれる？」

「ん、いい、いいから……、ぅ、ん……っ」

舌が唇を割って、ぼうっと意識が霞んだ。厚みがあってあたたかい花南の舌が気持ちいい。貪るようにキスしながら花南は太腿を押し、瑛介は従順に脚をひらいた。

「慣らすから、膝持ってて」

「わかった、ん、むっ……ぅ、……あっ」

何度も舌を入れたり出したりして吸わせてくれてから、花南は潤滑液を手にした。しっかりあたためて窄まりに触れつつ、またキスを繰り返す。熱を帯びて輝くアースアイに至近距離から見つめられ、瑛介は蕩ける心地で目を閉じた。自分からも舌を出すと、花南は音をたててしゃぶってくれる。指は孔に入り込み、尻が痺れたように感じた。

「う……ッん、……は、……ぁっ」

「瑛介さんすごい。お尻の孔やわらかすぎるよ……ほら、もう二本入っちゃう」

「ッあ、そこ、だめ……っぁ、ぅっ」

「前立腺好きでしょ。射精していいよ」

こりこりと内側から敏感な場所を弄び、花南は飽きることなくキスしてくる。荒くなった息遣いに、瑛介はいっそううっとりした。

ほしがられている。今までになく花南が余裕をなくして、つながりたがっている。

「……花、南っ、も……ぁっ、い、い、から、」

「いい？　なにがいいの？」

二本の指をじっくりと根元まで押し入れて、花南は瑛介の唇の端からこぼれた唾液を舐めた。吸いつこうとすると顔が離れて、瑛介はぽろりと涙を流した。

「もう、入れて、いいってば……っ」

「突いてほしい？」

「う、んっ……、つ、──つい、て」

奥まで貫かれたかった。めちゃくちゃにされたくて、両膝を持ったまま腰を突き出す。

「お、奥が、へんに、なる、から……っ」

「瑛介さんはおねだりが上手すぎるね」

くすくす笑って、花南は指を抜いた。潤滑液のボトルから、己の分身へと直接液を垂らし、見せつけるように塗りたくる。

「痛くないようにたくさんつけておくね。きっとすっごく気持ちいいから、瑛介さんはいっぱい泣いて、お尻で達こうね」

「ん……いく、いく……っ」

あやすように腹を撫でられるのも嬉しくて、何度も頷いた。持っていた膝を花南に摑まれ、震える手で枕を握る。無防備に受けとめる体勢に、花南は満足げに舌なめずりした。

「入れたら、キスしてあげます。お口の中もぐちゅぐちゅかき回して、馬鹿になるまでおなかの中を突いてあげる」

「……っ、ぁ、……あ、」

宣言されるだけで、ひくひくと身体が動いた。膝を限界までひらいて胸のほうに倒され、尻孔が真上を向く角度でぬらぬら光る充溢《じゅういつ》した切っ先をあてがわれ、衝撃を待ち受ける。

「――、……は、……ぅ、ん……ッ」

焼けるように熱く感じた。なめらかに入ってくるのにねじ込まれるかのようで、きゅうきゅうと腹が締まる。

「そんなに締めたら動けないよ。ゆるめて……突いてほしいでしょう?」

「だ、って……ぁっ、く、……ふ、……ぁッ」

言われてできることではない。なのにぐっ、ぐっと抜き差しを繰り返されると、内襞が崩れたように感じた。おりこうだね、と花南が笑う。

「ゆるめるのも上手だよ。そのうち、もっと奥まで可愛がってあげられそう」

「……っあ、……ぁ、あ、ああッ」

ずん、と突き入れられると脳裏が真っ白になった。腹の中の行きどまりがひしゃげたようで、痛みにも似た強烈な快感が全身を貫く。きつくつま先を丸め、瑛介は幾度も震えた。

「入れてすぐなのに、中だけで達っちゃったね。何回達けるか、試してみましょうか」

優しい声で囁いて、花南は顔を近づけてくる。苦しいはずの姿勢で口づけてくれ、瑛介は絶頂の余韻で緩慢なまま、伸ばされた舌をくわえた。

「む……っぅ、……は、……ぁッ」

男同士だと、正常位でつながりながらキスするのはなかなか難しい。上から体重をかけて二つ折りにされるような格好はあちこちが痛んだが、それでもキスするのはたまらない喜びだった。無理してもキスがしたいのだと、花南も思ってくれているのだ。

「は、む……っ、んっ、……は、ぁ、……んッ」

「瑛介さん可愛い。いっぱいちゅっちゅしてくれるの？」

花南はときどき涙を吸ってくれながら、ゆったりと腰を使った。ばねを効かせるように引いて、奥壁めがけて突き入れる。異物が腹の中で動く感触がざわつく快感をもたらしてくれ、肉棒にこすられる粘膜はどろどろになったように感じられた。

崩れていく快感がたまらなくて、瑛介は花南にすがりついた。

「ぁ……とけ、……ちゃ、う……っ、んッ、あ、ああ……っ」

「そうだね、気持ちいいね？」

「ん……っ、きもち、い……っ」

「俺も気持ちいいよ。瑛介さんが甘えんぼで、すごく幸せ」

ちゅく、ちゅく、と口の中を舌で愛撫し、花南は髪を梳いた。

「奥ごりごりしてあげるから、達く顔見せて」

言うなり強く突き上げられて、腹が破けるような衝撃が走った。

「――ッァ、あ、……ひっ、あ、あッ」

硬く凶暴な肉杭が、捏ね回すように奥壁を攻めてくる。ごんごんと乱暴にノックされ、瑛介の性器からはぷしゅりと潮が溢れた。

「い……っぁ、あっ、とま、らな、……ひ、……ぁ、ああ……ッ！」

ぶれるほど突かれるごとに潮を吹き、目からは涙が流れた。壊れたようにお漏らしをしている感覚と同時に、達し続けているようなびりびりした快感が神経を侵す。びくびく腹を波うたせて絶頂する瑛介に、花南は甘い声で命じた。

「噴きながら達けて偉いね。次は中出しされて達くんですよ」

「……、ぁ、……っ、あ、……っ」

ぼやけた意識に沈みながら、瑛介はまばたいて彼を見上げた。らんらんと燃えるような瞳が瑛介を見つめている。

「あなたを、俺でいっぱいにしたい。――どうしてこんなにほしくてたまらないんだろう」

ひとりごとのような囁きに、もういっぱいだ、と思ったけれど、キスされると言葉も、まともな思考も消えていく。花南はひときわ強く奥を突きはじめ、そうされるとただ喘ぐしかなかった。

「……ッ、あっ、あッ、……ァ、……あ、あぁッ」

「出しますよ、瑛介さん」

「あぁ……ッ、あ、……ぅ、……ぁ、あ……ッ！」

ごちゅ、ごちゅ、と潤んだ奥を狙われて、再び抗えない快感が膨れ上がる。両脚をつっぱらせて達してしまうと、花南が低く呻いた。へそのあたりに、燃え崩れるのに似た感触が広がって、瑛介は無意識に孔を締めた。目を開けていても視界はぼんやりしていたが、それでも頭の片隅で、嬉しい、と思う。

精液を出してもらえるのが嬉しい。眉をひそめ快感を味わう、花南の顔が嬉しい。

（……僕、の――）

彼は瑛介を満たしてくれる、特別な男だ。


「へえ、また泣ける映画を観たんですかー」

明るい日差しの入るカフェの窓際で、ハンバーグプレートをつつきながら、中村は微妙に呆れ顔だった。

「神奈木さんの恋人って泣ける映画が好きなんですか？　それとも、神奈木さんの趣味？」

「――相手の、かな」

瑛介は赤らんだ目元を押さえた。十月最初の月曜日、すっかり秋めいて、過ごしやすい日が続いている。爽やかな風を浴びていると、自分だけが爛れているようで、さすがに恥ずかしい。

今日は、極端に布地の少ない下着をつけているのだ。性器こそ覆われてはいるが、尻はほぼ剥き出しで、蟻の門渡りから孔にかけてつけられたパールの刺激がむずがゆい。こんな夜のプレイ専用みたいなパンツで出社するなんて、と思いつつ、そっと太腿をすりあわせる。

「私も泣ける映画は好きですけど……恋人さんってなんか、独占欲強そうですね？」

つけあわせのニンジンをフォークで刺して、中村は無理しているとわかる気のない声を出す。目はちらちらとこちらを窺っていて、どきりとしつつ瑛介は聞き返した。

「独占欲って、なんで？」

「だって、神奈木さん毎週顔が腫れてるんですもん。平日もときどき赤い目してるの、前の日は彼女さんと一緒だったんでしょ？　私たち二人で過ごしてますーって、一目でわかるようにしてるのかなって」

鋭い洞察力に、瑛介はなにも答えずに視線を彷徨《さまよ》わせた。

（中村さんはすごいけど……彼女じゃなくても気になるに決まってるよな）

瑛介が週明けに泣き腫らした顔で出社するのは、今日で三週連続なのだ。先週は水曜日にも抱かれてしまった。甘えてせがまれ拒めなかった自分にも非はあるが、手加減くらいしてくれ、と花南には言いたい。プライベートを詮索されるのは好きではないのだ。

「どうですか？　私の推理」

「……まあ、独占欲は、強いんだと思うよ」

瑛介を泣かせて出社させるだけでなく、花南は、「会社ではちゃんと言って」と譲らないのだ。

「週末はいつも恋人と過ごしてますって言ってね。日曜日は必ずセックスするから、月曜日は泣いて腫れた顔を隠さないで出社して。エッチしたって言わなくていいかわりに、二人で映画を観て泣きましたって言っておいて」

セックスしていると言わないのは、「言ったほうが害があるから」だそうだ。

「部長さんＤｏｍだもん、牽制《けんせい》はしておきたいけど、ただのニュートラルが瑛介さんを見て、どんなエッチするのかなとか想像したら困るでしょ。俺も抱きたいとか、私も抱かれたいとか思うやつが絶対いるもの」

たいていの人間はそんな想像はしない、と瑛介は言ったのだが、花南は主張を曲げなかった。ちなみに淫らなデザインのパンツは、「間違っても俺以外の前で裸にならないように」のお守りなのだそうだ。

お願いします、と跪いて足に口づけて頼まれて、結局、彼の言うとおりにしている。

ふー、とため息をついて、中村と同じハンバーグプレートのサラダを口に運ぶと、中村は我慢できなくなったように身を乗り出した。

「男の人って全般に束縛されるのが好きじゃないのかと思ってたけど、神奈木さんはもしかして、束縛されるほうが好きですか？」

「……そんなことないよ」

実は好きです、とは言えずに顎を引くと、中村はにまあ、と笑った。

「赤くなったぁ。その顔じゃ、恋人さんとラブラブですね」

「べ……べつに、ラブラブとかじゃないよ。普通だ」

「はいはい。普通にラブラブなんですね」

「だから、ラブラブじゃないって。だいたい、この歳でラブラブとか、恥ずかしいだろう」

ハンバーグを口に押し込んで、花南が作ってくれるやつのほうがおいしいな、と思う。先週の金曜日はハンバーグだった。副菜のポテトサラダもほどよい酸味で、店を出してもやっていけるんじゃないの、と言ったら、キスされた。俺は瑛介さんの専属ですから、と舌を差し込まれて、そのまま達ってしまうまでしゃぶらされて——。

「恥ずかしくなんかないですよ。そんなに幸せそうな顔を見たら、誰だっていい恋してるんだなってわかりますもん」

中村の声にはっと我に返り、瑛介は慌てて表情を引き締めた。中村はにこっと感じのいい笑みを見せた。

「実は最初、私神奈木さんのこと苦手だったんです。なんだかよそよそしくて、本社帰りなのを鼻にかけてるのかなって。年下の私にも丁寧語を使ってくれるけど、それも馬鹿にされてる気がしちゃって」

「——僕、そんなふうに見られてたんだ?」

「私がひがんでいるせいじゃないですからね。みんな同じ印象だったんですから。ほかの子、ほとんど神奈木さんには話しかけなかったでしょう？　神奈木さんが仕事ができるのはわかるんです。私がA社の三年前のラインナップなんてめんどくさいってぼやいたら、さらっと『僕の集めてたデータでよければ』とか出してくれるし、新入りのアシスタントにもサンプルの整理の仕方を教えてあげたり、自分の仕事じゃないこともやっちゃうでしょう。親切だとは思うけど、そのわりによそよそしいから、近寄りがたいんです」

「……うん」

以前にも同じようなことは噂されていたが、面と向かって言われるときつい。

「私は職場がぎすぎすするのがいやだから、苦手だと思ったときほどずうずうしく声かけることにしてるんですよ。そうすると相手も、中村なら仕方ない、みたいな感じで対応してくれるようになるから」

「そっか。中村さんて……すごいね」

「ありがとうございます。ときどき言われます」

中村は残ったライスをたいらげて、「でも」と言った。

「花南くんとの打ち合わせの日くらいから、だんだんイメージが変わってきたんです。すごく仕事熱心だし、言われたことをやるだけじゃなくて、自分で課題やテーマを作って、調べたり、まとめたりされてますよね。雰囲気もやわらかくなってきて、神奈木さんも緊張してたのかもって気がつきました」

「……雰囲気、そんなに変わったかな」

「七八〇度くらい違いますね」

謎の数字で力説した中村は、またにんまりした。

「だけど、彼女さんのおかげもあるんだなってわかっちゃいました。ラブラブだったらそりゃ、会社でだって機嫌よくできますもんね」

返事に困って、瑛介はハンバーグを頬張った。「どんな人なんですか?」と聞かれたら困る。異性の恋人だと信じている中村に、彼氏だとは言いづらいし、ましてや相手はあの町谷花南なのだ。

（ダイナミクスのことは絶対言いたくないし……）

「フランスに行ってるあいだは遠距離だったんですか？　それとも、帰ってきてから出会ってびびびっときちゃった系？」

すっかり質問モードになった中村が身を乗り出したとき、テーブルに置いていたスマートフォンが震えて着信を告げた。見れば花南からで、眉をひそめながらも「助かった」と思う。画面には覗き見防止フィルムが貼ってあるから、中村に相手が誰か知られる心配はないし、そろそろ昼休みも終わるから、電話を口実に質問攻めから逃げられる。

中村に詫《わ》びて店の外で電話に出ると、『瑛介さん』と甘い声が耳をくすぐった。

『お昼休みだってメッセージもらってたから、電話しちゃいました』

「……きみが、昼間もなにしてるか知りたいって言うから送っただけだよ。そっちこそ、話してて大丈夫なの？」

『俺も休憩中です。タイミングがあうなんて嬉しいって思ったら、どうしても声が聞きたくなったんです。ほんとは会いに行ってぎゅってしたい』

「なに言ってんの。今朝もハグしただろう」

たしなめつつ、ぼうっと耳が熱くなるのをとめられなかった。ベッドの中以外の花南はいつもこんな感じだ。愛情を隠さず、呆れるくらいくっつくのが好きで、毎日大好きだとか愛してるだとか言う。そうして瑛介のほうは、聞かされるたびにうずうずするような、甘ったるい気持ちになってしまうのだ。

『朝のハグだけじゃ足りない日もあるんです。――実は午後、大事なシーンの撮影があって。普段は役と自分って切り離しておけるほうなんですけど、今回は難しくて……』

珍しく気弱げなトーンの声にも、じんわりと胸が熱くなった。

(こうやって悩みとか弱音も言ってくれるの、すごく嬉しいんだよな)

甘えられると、年上らしくかまってやりたい気になる。

彼とするセックスは最高によくて、おかげでダイナミクスも安定し、健康もメンタルも落ち着いている。それもありがたいが、ＤｏｍとＳｕｂだということを忘れていられるのが、瑛介にはなによりも嬉しい。

「演じるのが大変な役って、観てるほうは引き込まれるものだと思うし、いつもと違って役にひきずられちゃうのも、それだけ力のある脚本で作品だってことじゃないかな。――きっといいものができるよ」

『ありがとう、瑛介さん。瑛介さんに言われると、すっごく頑張れる気がする』

照れくさそうに礼を言った花南は、思い出したように「ねえ」と甘え声を出した。

『パンツはどんな感じ？　気持ちいい？』

電話でそれを聞くのか、と瑛介は顔をしかめた。せっかく人が、年上らしく優しい気持ちになったというのに台無しだ。

「全然よくないに決まってるだろ。もうこういうパールつきはやだよ。落ち着かない」

『じゃあ次はレースのにしましょうか。透け透けのやつ』

「普通のがいいって。こんな下着じゃなくても人前では服は脱がないよ」

『でも、瑛介さんが離れた場所にいても俺が選んだ下着をつけてるって思うと幸せだし、帰ってきたときに脱がせたらやらしいパンツはいてるの、すごく興奮するんだもん』

威張れないことを堂々と言った花南は、そこで声を低めた。

『今日はちょっと遅くなっちゃうけど、うちに来てね』

「……月曜日だよ。今朝まで一緒にいたじゃないか」

『だって、いっぱい抱きしめてキスしたい。セックスはしないから、瑛介さんのことは泣かせてあげられないけど、いちゃいちゃしたいの。午後頑張るから……ね？』

「きみ――ほんと、ずるいよね」

せがまれると断る気になれないのだ。ため息まじりに「わかったよ」と返事をすると、やったぁ、と子供みたいな反応をされて、苦笑が漏れた。

「遅くなるなら食事は作っておくよ。無理に外に食べないで帰っておいで」

『嬉しい、ありがとう。たぶん九時半には帰れると思う。――大好き、瑛介さん』

ちゅ、とリップ音までさせて、通話は切れた。甘酸っぱい余韻で手までが痺れたようで、瑛介は熱っぽく感じるうなじを撫でながら店内に戻り、もう一度詫びて伝票を手にした。

「電話彼女さんからですよね！」とやたら嬉しげな中村をかわしつつ会社に戻ると、アシスタントの女性が申し訳なさそうに瑛介の席まで来た。

「さっき電話があって、神奈木瑛介さんはいますかって聞かれて、離席してますって答えたら、じゃあいいですって名前も言わずに切れちゃったんです。中年くらいの男性だと思うんですが、心当たりありますか？」

「中年の男性？　わからないけど、どこかの雑誌の人かな」

普通は媒体名くらいは名乗るはずなのに、と首を捻ると、加藤が瑛介を呼んだ。

「神奈木くん、ちょっといい？」

「はい」

部長の話のほうが、用件もわからない電話よりも優先順位は高い。ささやかな疑問はあっというまに消し飛んで、瑛介はアシスタントに微笑みかけた。

「報告ありがとう。用があるならまたかかってくると思うから、気にしないで」

アシスタントは加藤にも怯えているようで、そそくさと自分の席に戻っていった。Ｄｏｍの加藤は表情もあまり変わらないので、ニュートラルの社員からも怖がられているのだ。けれど、瑛介は前ほど緊張せずにすんでいた。むしろ数少ないダイナミクスの保有者同士として、彼女には隠さなくていいという安心感のほうが強い。

小さな打ち合わせブースで向かいあうと、先日出してくれた資料だけど、と切り出された。

「すごくまとまっていてよかった。分析はもちろん神奈木くんの主観に過ぎないけど、カスタマーセンターに寄せられた声からも好みや世情の移り変わりをくみ取って生かしていくのはいいと思う」

予想よりもいい評価に、瑛介はほっとした。

「本当ですか？　よかったです。クレームをただ処理したり、製品改良に使うだけじゃなくて、宣伝にも利用できるといいんじゃないかと考えていたので」

「神奈木くんが多角的に仕事ができて助かる。中村さんに聞いたけど、一年分のプレス資料も遡ってくれたんだってね」

「僕は器用ではないので、そういう積み重ねをしておかないとだめだっていうだけです」

「謙遜しなくてもいいんじゃない？　本社での評価も、初年からだんだん上がっているのは、真面目に仕事していたからでしょう。あっちでは各部署を短期間で回るんだよね？」

「はい。製造部から実店舗の販売だけでなく、イベントの手伝いもして、最終的には広報宣伝部で、アートディレクターのアシスタントを主にしていました」

慣れないことばかりだったが、振り返れば充実はしていたと思う。上司と寝ようとして失敗したこと以外はいい経験だ。

加藤はじっと見つめてくる。

「正直ね、戻ってきた当初は心配だったんだ。あなたはＳｕｂだし、メンバーはあなたのこと敬遠してる雰囲気だったから」

「……すみません。とっつきにくく思われてしまうみたいで」

そんなに感じが悪かったのだろうか、と改めて傷ついたが、加藤は珍しく優しい表情を見せた。

「ダイナミクスの保有者だと、周囲に馴染《なじ》みづらいのはよくあることだよ。たとえ公表していなくても、Ｄｏｍは本能的に相手に警戒されたりするし、Ｓｕｂは気を使いすぎて自分が疲弊しないように、自衛するものだからね。理性とか自制心ではコントロールしきれないことって、根が深いものでしょう。場合によっては歩み寄れないこともある……けど、神奈木くんはいいパートナーが見つかったみたいでよかった」

微笑ましそうに目を細められ、瑛介はじわっと赤くなった。

「すみません。週末恋人と過ごしてるとか言ってるの、加藤さんの耳にも入りますよね……」

「謝らないで。私としてもほっとしてるんだ。最初の一週間くらいは具合が悪そうだったけど、体調も安定した様子だし。相手はどうやら、独占欲強めなＤｏｍみたいだけどね」

加藤にまで言われてしまうほど、瑛介を見るだけで花南の独占欲の強さがわかるのだろうか。僕はいったいどんなふうに見えているんだ、と考えると目眩がしそうだ。

（えっちなデザインのパンツはいてるとか……み、見えてるわけじゃないよね？）

冷や汗を浮かべる瑛介に、加藤はふっと微笑んだ。

「彼、きっと私がＤｏｍだって知って牽制してるんだよね。私は他人のものを取るタイプじゃないって言っておいて」

「はい………って、え？」

なぜ相手が男だとわかったのかと、さらに動揺してしまったが、加藤はさっさと立ち上がってしまった。

「相性のいいパートナーは貴重だから仲良くしてね。神奈木くんとはできるだけ長く一緒に仕事したいと思ってるから」

これからも期待してる、と肩を叩いて、加藤は先に打ち合わせブースを出ていく。瑛介はまだ赤い顔を押さえた。

「恥ずかしい……けど、嬉しい、かも」

さりげなく認めてくれる加藤の態度がありがたかった。同僚や上司と恋人の話をするのは初めての経験で、でも、中村にも加藤にも、同じ職場の人間として好意を抱かれているのがわかるからか、不快感はなかった。仲のよさをからかわれるのは、思った以上に気恥ずかしいけれど——青くさい言い方をするなら、「仲間」になれたような気がする。

（……会社でこんなふうに嬉しいって思えるのっていいな）

肩肘張らず、自然体でいられるのがありがたい。仕事上の努力はこれまでもしてきたけれど、頑張ろう、と思うのまでが、以前よりかろやかに感じられた。

これも花南のおかげだろうか、とチノパンの上から股間を押さえ、瑛介は小さく首を横に振った。普通じゃないパンツはべつに嬉しくない。

でも、今日は花南が帰ってきたら伝えたかった。上司に褒められたこと。同僚とのランチが、困ると思いつつけっこう楽しかったこと。電話で声が聞けたことも、帰宅して作る献立を考えるのも、思っていた以上に幸せな気分になれると——言えば、花南もきっと喜んでくれるだろう。

サワラの粕漬《かすづ》けに豆腐と野菜のそぼろあんかけ、もやしとニラのレモン和えに、野菜たっぷりの味噌汁というメニューを、花南はおいしそうに食べてくれた。

「瑛介さんのごはん、栄養も気を使ってくれてるのがわかるし、すっごくおいしい。俺より上手だよね」

「量少なくなかった？」

「大丈夫。作ってくれてありがとね、瑛介さん」

皿を食洗機に入れる瑛介を、花南は後ろから抱きしめてくる。

「今日はすごくいい日だね。瑛介さんは職場で褒められて、同僚さんとも仲良くできて、俺は撮影で褒められて。二人揃ってハッピーなんて最高じゃない？」

「こら、やりにくいってば」

叱りつつも、首筋に顔を埋められると、瑛介も悪い気はしなかった。手が濡れていて使えないので、撫でるかわりに花南の頭にかるく頬を押しつけてやる。

「きみってときどき、すごく可愛いこと言うよね」

「え、今の可愛かった？　どのへん？」

「ハッピーとか言うとこだよ」

「普通じゃない？　でも、瑛介さんに可愛いって思ってもらえるならいいや」

ハッピー、と歌うようにもう一度言って、花南は抱きしめる力を強くした。邪魔だって、と笑いながら最後の皿を食洗機に入れ、洗剤を入れてスイッチを押す。

「終わったよ。風呂はどっちが先に入る？」

身を捩ると、花南は腕をほどく。向かいあって見上げた瑛介に、花南は目を細めた。

「お風呂より先にしたいことがあるんだけど、いい？」

「……っ、なに？」

グレアだ。ふわっと体温が上がり、瑛介は流し台の縁を掴んだ。

「まさかセックスとか言わないよな。昨日の夜もしたんだよ」

「したいのはお仕置きだよ」

拗ねたように花南は唇を尖らせた。

「加藤さんに褒められたって言ったよね。打ち合わせブースに呼び出されたってことは、二人きりになったってことでしょ？」

「ふ、二人きりって、間仕切りされてるだけで人が通るところだぞ」

「至近距離で二人きりには変わりないよ。せっかくえっちなパンツはかせてるのに、警戒心ないんだから――やっぱりもっとわかりやすいのをつけないとね？」

アースアイが色を濃くして煌めいていて、瑛介はぐっと息を呑んだ。ゆっくりと強まった花南のグレアが、熱と質量を持って締めつけてくるようだ。脚がかすかに震えて、今にも力が抜けそうだった。それでも、かろうじて言い返す。

「首輪は、絶対にいやだ」

ＳｕｂはＤｏｍとパートナーになると、契約の証《あかし》として首輪を贈られ、身につけることがある。独占欲や庇護欲の強いＤｏｍにとって、自分のものだと主張できる首輪をＳｕｂにつけさせるのは、もっとも満たされる行為だという。

「僕はダイナミクスを公表してない。仮に公表してたとしても、首輪なんかいやだからね」

「瑛介さんならそう言うと思ってた。だから、つけてもらうのはこれだよ」

花南はポケットに手を入れ、取り出したものを瑛介に見せた。輪が三つ連なったかたちの、赤い色の器具だ。

「コックリングだよ。調整がきくタイプで、落ちないように腰にベルトをつけて固定する。ずっとつけていても排尿や射精ができるし、締めつけて達けないようにもできるんだ」

「コッ……って、い、いやだってば！」

ぎょっとして逃げようとしたが、花南は身体を押しつけてきて、それだけで動けなくなる。瑛介は両手で彼の胸を押した。

「そういうの、好きじゃない……お、おもちゃとか、」

「可愛い反応だね。真っ赤になっちゃって、好きなんだ？　正直になればいいのに」

「っ、ほんとに、……好きなんかじゃ……っ」

「じゃあ、試してみましょう。つけてみて、好きか嫌いか確認して——好きだったら、今週はこれをずっとつけておくんです」

花南はかるく瑛介の耳を噛んで囁いた。

「二時間、頑張ってみましょう。俺にやきもちをやかせたお仕置きだからね」

「……、ぁ」

耐えきれず小さく声を漏らしてしまえば、もう陥落したも同然だった。脱いで、と命じられて、震える手でベルトを外してしまう。チノパンを下ろすと分身はわずかにかたちを変えただけだったが、紺色のパンツにはくっきりとしみがついていた。花南は薄く笑った。

「もうお漏らししてるの？　やらしいね」

「……ご、め……ん、なさい……」

「謝らなくていいんだよ。勃たないで濡れてるの、すごく可愛い」

よしよし、と頭を撫でられて、残りの服を脱ぎ落とす。震える性器にリングを装着されたあとは、流し台のほうを向くよう命令された。

「お口はおあずけね。孔をほぐすから、瑛介さんはおっぱいくにくにして手伝って」

「――も、痛い……」

射精できないように締めつけられたペニスは勃起してしまい、芯がずきずきと疼いていた。花南は瑛介の尻に触れながら優しい声を出す。

「じゃあ頑張ろうね。五回、お尻だけで達けたら外してあげる。外したあとは射精してもいいし、お尻だけでもいいから、また五回だ。全部で十回」

「そんなに、達けるわけないだろ……っ」

「瑛介さん気づいてないの？　いつももっと達ってますよ。中イキ、すぐしちゃうでしょ」

「達ってな、……っは、ぅっ」

　ぬぷりと指が入ってくる。瑛介は息を弾ませながら、痺れた気のする指を胸に這わせた。両手を使って、左右の乳首をつまみ出す。

「ん……っ、は、……ぁっ」

「お尻ゆるゆるだなあ。ちょっと入れただけでもひくひくって吸いつくね」

「ゆるく……ないっ、……ぁ、……っ、あ……っ」

　そんなはずない、と思っても、実際、指を入れられていても痛みはない。内襞は悦ぶように収縮するだけで、前立腺に触られると太腿がぶるぶるした。目の底が熱い、と意識した直後には、涙が流れていた。

「きみが……っ、きみが、いつもさんざん、する、から……っ」

「そうだね。慣れて、くぱくぱひらくようになってくれたんだよね。今日はお仕置きだから、余計に蕩けちゃうよね」

　ジェルを足して数度かき回し、花南は指を抜くと背中に口づけた。

「知ってる？　Ｓｕｂはお仕置きのときほど感じやすいんだ。パートナーに見放されたくない、つなぎとめたいって思うから、相手を喜ばせたくて、身体が淫らになるんだよ」

「——っ」

「十回って言ったけど、俺が射精するまでに瑛介さんが何回達っちゃうか、楽しみだな」

「……ぁ、……あ、ああ……ッ」

ずぷ、と雄竿が入ってくる。貫かれる衝撃だけで視界が暗転し、瑛介は達していた。両方の乳首をつまんだままの格好でがくがくと震え、だらしなく口がひらく。

「一回目」

囁いて、花南が後ろから抱きしめた。長い指が唇を撫で、歯に触れてくる。

「可愛く達ってくれたから、もうしゃぶっていいですよ」

「ふぁ……っ、あ……んむ……っ」

ごり、と上顎をいじられ、瑛介は力の入らない口を窄めた。命じられなくてもフェラチオのように、丹念に舌を絡めて舐めしゃぶる。そうしながら奥に突き当たるまで性器を挿入され、数度揺さぶられると、あっけなく二度目の絶頂が訪れた。

「ん、く……っ、ぅ……！」

「二回目。気持ちいいんですね？」

花南は焦らすように指を抜き取り、濡れたそれで喉を撫でた。瑛介はちかちかする目眩に襲われたまま、何度も頷いた。

「きもちぃ、……から、……も、出したい……っ」

限界まで昂った性器は焼けるほど熱い。痛みを通り越して麻痺したようで、みっともないとわかっていても腰が動いた。

「おねがい……っこれから、気をつける、から……と、取って」

「瑛介さんはお仕置きされるのも上手ですね」

切っ先でじっくりと奥壁を押し上げ、花南は耳に舌を差し込んだ。

「本当はね、瑛介さんが王様なんだから、そうしたいなら、俺にたくさんやきもちをやかせてもいいんですよ？　でも、覚えておいてください。瑛介さんのことは誰にも渡せないから、心配したらこんなふうにお仕置きします」

「や……っも、わかった、から……っ」

「外さないで五回達く約束ですよ。外したらいっぱい出して」

丹念に耳を舐めながら、花南はぐりぐりと亀頭を押しつける。

「上手に頑張れたら、週末はご褒美です。この先まで――」

「んっ……く、くる、し……っ」

「ずっぽりはめて、可愛がってあげる。立てなくなるまで達かせて、甘やかしてあげますね」

「……っ、ひ、……ぁあ……っ！」

破られそうな圧にぞくりと背筋が震え、その途端に再び達して、瑛介は流し台に手をついた。びくびくと腹が波うって、気が遠くなりそうなほどの快感だった。強制的に堰きとめられて精液は出ない――のに、達した感覚が強烈で、全身がびりびりする。花南に腰を摑まれていなければ崩れ落ちていただろう。

　前のめりになった瑛介に覆いかぶさるようにして、花南は抱きしめてくる。

「離していいよって言ってないのに、おっぱい離しちゃいましたね」

「――ッ」

「でも、達き方がすごいから許してあげます。わかる？　瑛介さんの中、まだ締まったりゆるんだりしてるの……リングつけられて達くと、思いっきり達けるのかもね。あと二回達ったら、瑛介さんどうなっちゃうかなあ？」

　あと二回、と思うと身体中が熱くなり、瑛介は弱々しくかぶりを振った。

「……や……、こわ、い……っ、や、だぁっ」

　これ以上達ったら変になる。否、とうにおかしくなってしまっているけれど――また、変わってしまう。

　花南との快楽には際限がない。それが怖くて、子供みたいな声が出る。

「ゆるして……っ、ねぇ、たのむから……っ、あ、……ぅんッ」

「やめてほしいときは『レッド』だよ。――週末のご褒美、楽しみですね」

　そそのかすように囁かれ、瑛介はしゃくり上げた。顔中涙と唾液まみれで、横では食洗機が唸《うな》っている。日常の生活空間で、犯すように抱かれているのだ。

　動きますよ、と確認されて、おずおずと頷く。

週末の「ご褒美」をちらつかされなくても、セーフワードは言えない。

（――言えるわけ、ない……）

だって、こんなにも快感なのだ。深く、泥のようにひきずり込まれる、抗えない快楽。泣いて許しを乞い、射精をねだり、かるく突き上げられただけでドライオーガズムにいたる、Ｓｕｂの喜び。

花南じゃなきゃ舌を嚙んで死んでる、と思いながら、瑛介は目を閉じて、体内を攻めてくる力強い動きに身を委ねた。

火曜日からの四日間が、ひどく長く感じられた。中村には「そんなにそわそわするなんて、三連休は彼女と旅行ですか？」などとからかわれつつ仕事をこなし、金曜日は定時で退社した。今日の食事は花南が用意してくれることになっていたが、正直、空腹よりも身体の飢えのほうが強い。

一秒でも早く会いたい。キスだけでいいから、すぐにしてほしい。

追い立てられるような気分ですっかり慣れた道順を急ぎ、マンションにもうすぐ着く、というときになって、電話がかかってきた。花南からかと思ったが、表示された名前は楓で、一気にテンションが下がる。それでも無視はできずに、瑛介は電話に出た。

「……もしもし」

『え・い・ちゃーん！　なんで今日実家に帰ってこないわけ？』

怒っているらしい声がきんきんと響く。腕をいっぱいに伸ばしてスマートフォンを耳から遠ざけ、瑛介はため息をついてから返事した。

「仕事が忙しいから」

『嘘つき！　ぼくの優しいえいちゃんが嘘をつくなんて、許さないからね！』

「……嘘だって決めつけるなよ。だいたい僕はおまえのじゃない」

『ぼくのだもん！　えいちゃんのばかっ！』

成人男性とはとても思えない口調でなじった楓は、それきり黙った。罵倒が続かないのを確認して、瑛介はなだめる声を作る。

「とにかく、今回の週末は帰れない。予定があるんだ」

『……わかってるんだから』

「わかってるなら電話してくるなよ」

『そういうわかってるじゃないよ。えいちゃん、恋人とデートなんでしょ』

じとっとした声で言われ、今度は瑛介が黙る番だった。なぜわかったんだろう。まさか花南が言ったのか、と焦ると、案の定、楓は言った。

『相手だって知ってるよ。町谷花南でしょ』

「――花南から聞いたのか?」

言わない約束のはずだ、と思ったが、「お仕置き」の一貫だろうか。聞いてない、という思いと無神経に指摘してくる楓にいらいらして、つい尖った声が出た。

「なんにしても、楓には関係ないだろう」

『関係あるよ、従兄弟同士だもん。あのねえいちゃん、勘違いしてるみたいだから言うけど、花南くんはなんにも言ってないよ。でも、前に空港でえいちゃんが花南くんのこと助けたっていうのは聞いたことがあって、彼がすっごくえいちゃんのこと好きみたいだからさ、意外と一途《いちず》なんだなって思ってたの』

その話なら花南からも聞いたとおりだ。

『そんな花南くんが最近すごく楽しそうだから、半分くらい冗談で、恋人でもできたのーって聞いたら、花南くん照れちゃって。顔に出てるかなあって言いながら幸せそうだから、ぼくはぴんときたわけです。これは最近出会って惚れたって感じじゃない、長年の恋が実った感じだぞ、と』

だんだん芝居がかった調子になった楓は、楽しげな笑い声をたてた。

『素敵だよね! 三年も待っててついにゴールインなんて!』

「ゴールインて……それ結婚するときに使う言葉だろう」

『普段はクールな花南くんが、メイクさんも気づくくらいに浮かれてるなんて、さすがはぼくのえいちゃんだ！　って鼻高々になったもん』

だからおまえのじゃない、と心の中で返しつつ、瑛介は耳に触れた。

あれほど知られたくないと思っていた楓相手にばれてしまったのに、さっきまでは苛立《いらだ》っていたのが嘘のように、ふわふわした気分だった。

（誰でも気づくくらい浮かれてるのか、花南……）

そういうところが、彼は可愛いのだ。照れていると、「だからね」と楓が声を改めた。

『寂しいけど、えいちゃんがぼくに会ってくれなくてもいいの。えいちゃんが好きなら、相手は花南くんでも全然いいよ。でも、つきあうことになったら言ってほしかったんだ』

「……なんで楓に言わなくちゃならないんだよ」

『だって、えいちゃんって頼まれると断れない人でしょ。つけ込まれてＤＶ彼氏とかにひっかかっちゃうかもしれないもん、おつきあいする相手はぼくが品定めしないと！』

「馬鹿なこと言うなって。言っとくけど、べつに花南が初めての相手じゃない」

『知ってるよ。だから心配なの！　えいちゃんが大学のときにつきあってた人ってみんなちょっとアレな感じだったもん。これからはぼくがチェックするからね』

「いらないよ。楓に心配されなくても、自分でちゃんとできる」

『だめ。えいちゃんは自分で思ってる以上に流されやすいです。……でも、花南くんならまあ、安心かな。一緒に仕事したことあるから、悪い人じゃないってわかってる。だから、打ち明けてくれたら一番におめでとうって言えたのに、えいちゃんが嘘つくから……ぼく悲しかったんだよ』

「――……悪かったよ」

瑛介のつきあいをすべて知っているわけでもないのに意気込んでいる楓に、瑛介は素直に謝った。いつもならこういうところも苦手なのだが、今日は少し可愛く思える。

『ねえ、これから花南くんと会う？　それとも明日？』

「これからだよ。もう着く」

『じゃあ、ぼくのえいちゃんを大事にしてねって言っておいて。ほんとは彼と一緒にでいいから、一日くらい帰ってきてほしいけど。おばさんたちだって楽しみに待ってるんだから』

「親はそんなに楽しみにはしてないよ」

両親が喜ぶとすれば、瑛介を口実に楓が来てくれることだろう、と思ったが、なぜか普段ほど惨めな気持ちにはならなかった。楓は「そんなわけないよう」と朗らかに笑う。

『再来週の日曜日はあけておいてね。ぼくの誕生日会するから、えいちゃんも絶対来て』

「……わかった、行くよ」

『絶対だよー？』

「わかったって」

もう切るよ、と伝えて通話を終え、瑛介は急ぎ足でマンションに向かった。

エレベーターの中で着いた旨をメッセージで送ると、ドアを開けたときには花南が玄関まで迎えに来ていて、ぎゅっと抱きしめてくれた。

「おかえり、瑛介さん。外、寒くなってきてたよね」

「ただいま。……急いで来たから、あんまり寒くなかった」

髪を梳かれると、外で張りつめていた神経も一緒にほぐされ、整えられていくような気がする。息を吸い込めば花南の匂いがして、じわっと股間が潤みを帯びた。

（あ……勃っちゃ、う……）

したい。キスされて、組み敷かれたい。

「……食事、あとにしない？」

花南の背中にしがみつくと、彼は優しく笑った。

「だめだよ。今食べないと瑛介さん、朝まで食べられないもの」

「朝……」

ぐったりして眠ってしまうまで今夜は抱くつもりなのだと匂わされ、いっそう性器が硬くなる。もじもじと腰を揺らすと、花南が抱擁をといた。

「キスしたいけど、それも食べたあとでね。俺もスイッチ入ってやめられなくなりそう」

「──花南」

甘い言葉に、胸や腹の中まで濡れていくようで、瑛介は手を引く彼におとなしく従った。

「今日はスープだけにしておいたよ。たくさんエッチするから重くないほうがいいでしょ。和食じゃなくてごめんね？」

「大丈夫だよ、ありがとう」

気遣いが嬉しい。それでもそわそわする欲求は燻《くすぶ》っていて、瑛介は少しでも意識を逸らそうと、あたたかいスープを口に運びながらさきほどの話をした。

「さっき楓から電話がきたよ」

「へえ、よく電話するの？」

「ときどきだよ。楓の実家とうちの実家が近所なんだけど、三連休は帰ってくると思ってたみたいで、会いたかったんだってさ。帰ってこないのは恋人のせいだろうってなじられたよ。楓のやつ、きみと僕がつきあってるって知ってて」

「俺、楓くんには言ってないですよ？」

花南は心外そうに眉をひそめて、瑛介は頷いた。

「でも、恋人ができたとは言ったんだろう？　それで察しがついたんだって。あいつ、こういうことばっかり気がつくんだよね。──でも」

さっきの、楓と話しながら感じた淡い嬉しさを思い出す。

「楓のこと苦手なのに、ちょっと嬉しかった。きみ、現場でメイクさんにも気づかれるくらい浮かれてるんだって？」

「自分では浮かれてないつもりなんですけど」

やわらいだ瑛介の表情に、花南もふわりと微笑んだ。

「でも、恋人できたんですか？　って探りを入れられても幸せな気分になるんです。こんなこと初めてだから、きっと浮かれてるんでしょうね」

「だったら、僕も浮かれてるのかな。……楓のことまで、ちょっと好きになりそう」

「そんなに苦手だったんですか？　楓くんのこと」

「うん。きみの弟がきみを嫌いなのに似てると思う。楓は小さいころからキッズモデルで人気があって、僕はどこに行っても『楓くんの従兄』でしかなかったから。親も僕より楓のほうが好きで、僕はいつも不出来な息子ってポジションでさ」

「不出来って、瑛介さんが？」

「うん。テストで百点取っても、先生に褒められてもだめなんだ。『うちの息子なんて』って貶《けな》されてばかりで悲しかった。楓と比べて、可愛げがないって言われたこともある」

こんな話は誰にもしたことがない。だが口にしてしまうと、長年の重荷が消えた気がした。

「今思うと、楓が苦手だったのは、どこかで羨ましかったからかも。子供っぽいよね」

「そんなことないです」

花南はふっと真面目な顔になって、手を握ってくる。

「言われたほうの気持ちも考えないで無神経なことができるやつが悪いんです。まして子供相手なんて、親は言っちゃだめでしょう。瑛介さんは不出来なんかじゃないのに」

「――うん。ありがとう」

じんと胸が痺れた。真剣な眼差しで見つめられると、彼がどれほど瑛介を好きかが伝わってくる。泣いても、恥ずかしいほど達っても、過去を打ち明けても――花南は瑛介を受け入れてくれる。

気づいたときには立ち上がって、花南の首筋を引き寄せていた。自分から唇を重ね、ねだるように吸う。花南はそっと舌を差し出してくれ、絡めあわせるとまぶたが震えた。ほしい。したい。舐めて、触られて、貫かれてひとつになりたい。

「……花南」

吐息とともに名前を呼ぶと、花南も立ち上がった。ぐっと手を引かれ、その場で膝をつかされる。

「舐めておっきくしてくれる？　手は使わないで、口だけで――足りなかったらおっぱい、自分で触っていいから」

「……服、は？」

「脱がなくていいよ。瑛介さんきっと達っちゃうから、パンツについたザーメン見せて」

命じる花南の声も熱を帯びている。ベルトを外す動きは焦らすかのようで、ごくりと喉が鳴った。

「そのあとでコックリングをしっかり締めようね。射精しないでお尻で達くの、今日も頑張ろう？」

「ん、……わか、った」

下ろされていくファスナーを飢える思いで見つめたとき、ポーン、とチャイムの音が響いた。ぎくりと肩が揺れてしまい、花南は露骨に不機嫌な顔になって、壁のモニターに目を向けた。そこに映った男性はまだ若く、配達員には見えない。花南は険しい表情で瑛介のほうに向き直った。

「無視していいよ」

「でも……友達？　出たほうがいいんじゃない？」

モニターの画像は比較的鮮明で、思いつめた表情までが見える。整った顔立ちは花南の同業者のようだ。どうしても会いたいのだろう、再びチャイムが鳴らされて、花南はため息をついて瑛介から離れた。

「ごめんね、ちょっと待っててください。部屋には入れないから」

「僕はべつに……外に出てもいいけど」

「だめ。寝室にいて？　いい子だから」

一度戻ってきた花南は瑛介を立たせると、ちゅっと額にキスした。

「五分ですませるよ。本当にごめん」

「……うん」

謝らなくていいのに、と思いつつ、労《いたわ》るような口づけは嬉しかった。花南が応答してエントランスを解錠し、玄関に向かうのを背後に感じつつ、寝室に入ってベッドに腰かける。

五分。待っていれば愛しあえる、と思うと、待たされるのも悪くない。

ほどなく玄関ドアが開く音が聞こえ、低い話し声がした。花南はずいぶん苛立っているようだ。具体的な内容までは聞き取れないが、きつい口調が彼らしくなくて、ふっと不安が湧いてきた。

なにかトラブルだろうか。喧嘩《けんか》になったりしなければいいけれど。

立っていってドア越しにでも会話を聞きたい焦燥にかられたが、盗み聞きするわけにもいかない。ぎゅっと拳を握って気にしないように努めていると、やがて、言い争うように声が大きくなったかと思うと、勢いよくドアが閉まる音が響いた。

すぐに花南が入ってくる。

「ごめんね、ほったらかしにして」

「僕は平気」

　ぎゅっと抱きしめてくる花南のほうが、平気ではなさそうだった。いつになく硬い表情のまま肩先に顔を埋められ、瑛介は背中を撫でてやった。

「揉め事？　僕でよければ、相談に乗るけど」

「ありがとう。でも大丈夫。瑛介さんには絶対迷惑はかけないよ。あいつは弟だから気にしないで」

　花南を嫌っているという弟だ。言われてみれば似ていたかも、とモニター越しの顔を思い出し、瑛介は眉根を寄せた。

「家族だってトラブルになることはあるよね。兄弟喧嘩って雰囲気じゃなかっただろう？」

　すっと花南の気配が強張るのが、はっきりとわかった。抱きつくのをやめた花南は、冷たい顔をしていた。

「俺の家族のことは、瑛介さんには関係ないよ」

「……ッ」

　突き放すような口調で言う彼から唐突にグレアが溢れ出し、瑛介は息ができずに呆然とした。見下ろしてくる花南の目は暗く燃え立つようだ。怒りの気配に鳥肌が立ち、唇が震えてしまう。

「そんなことより、続きがしたいでしょう。脱がせてあげる」

シャツのボタンを、花南が外していく。丁寧に脱がされながら、瑛介はほとんど動けなかった。ただ彼に命じられるまま、腕を上げたり、片足ずつ上げたりして全裸になると、花南は腰のベルトとコックリングも外した。

「跪いて」

「……ぁ、」

ぐらりと身体がかしぎ、考えるより先に足が動いた。崩れるように花南の前で膝をつくと、取り出された性器が口の中に入ってくる。大きな両手が、がっちりと瑛介の頭を摑んだ。

「おっきく口開けてね。イラマしてあげる。濡らしてもらったらお尻に入れようと思ってたけど、顔にかけてあげようかな。顔射、まだしたことなかったもんね？」

「んっ……ぐ、……ん、ぅ……ッ」

「リングは外したけど、射精しないで達けるかな？　喉を突かれながら、お尻を犯されているのを想像してみて」

「んぶっ……ぅ、……んぐ、……ぅッ」

容赦なく、喉まで硬い性器が出し入れされる。喉奥を圧迫される苦しさで吐き気が込み上げたが、無様な呻きが漏れても、花南は動きをゆるめなかった。なめらかな表皮で舌がこすれ、雄の匂いが鼻を刺す。息がうまくできずに胸だけが上下し、視界が暗くなっていく感覚に目眩がした。

「……っ、……っ!」

がくがく全身が震え出したかと思うと、稲妻のような衝撃が駆け抜けた。ずるりと口から男性器が抜かれ、花南が笑うのが、上から降ってくる。

「あーあ、射精しちゃったね」

「っごめ……、な、……さ」

「もう一回しゃぶらせてあげるから、ちゃんと想像して。思いっきりおなかの中かき回されてるって思えば、射精しないで達けるでしょう? 奥の一番好きなとこ、ごんごんされるとどうなるの?」

優しいのに追いつめる声音に、だらだらと涙が流れた。口の端からはよだれをこぼし、瑛介は花南を見上げた。強烈なグレアで視界が歪んで感じられる。彼が怖い。怒られるのが——突き放されるのが、怖い。

「……し、潮……ふき、します」

「そうだよね。じゃあ、潮吹いて達こうね」

にこりとした花南が再度頭を掴む。従順に口を開けて砲身を呑み込み、瑛介は目を閉じた。突っ込まれている。むずむずする尻の孔に、花南の分身をねじ込まれて、乱暴なくらい穿たれる。

「――ッ、ん、……ん、ぐ、……ッン、」

「偉いなあ、さっきより喉がひらいてるね。苦しいのに、頑張ってくれてるんだね」

　ごっ、ごっ、と突きながら、花南は頭を撫でてくれた。

「お尻ずぽずぽ、好きだね？」

「う、……んん……ッ」

　激しく口を使われた状態では声を出すことも、頷くこともできなかったが、優しい手つきにきゅうっと胸が痛んだ。もっと褒められたくて、夢中で腰を浮かす。背後から貫かれる感触を思い描くとねっとりと下腹部が熱くなり、閉じた視界にはちかちかと光を感じた。

（あ……これ、……、来、る）

　達する前のうねりだ。地震の前の地鳴りにも似た、遠くから迫ってくる圧倒的な気配だ。

「ン……っふ、……ぅ、……んぅ……ッ」

「お尻とまらなくなっちゃったね。わんちゃんみたいにかくかくしてる」

　何度も髪を撫でながら、花南は切っ先で瑛介の上顎を攻めた。奥から手前へずりずりとこすり、かと思うと勢いをつけて喉まで突く。じゅぷっ、と音が響き、本当に腹奥を穿たれたときのように背筋がびりびりした。

（だめ……、い、達く、……いっちゃ、う）

「瑛介さんは偉いね。勃起してないのに、お汁だけ垂れてるね。もう達きたいね」

花南の声もいつのまにか丸く、甘くなっている。ぬぽぬぽと口の中を弄びながら、いいよ、と囁く。

「達って。お口を使われながら、射精しないで――脳だけで達くんだ」

「――ン、……ぅ――ッ！」

ひときわ強く、奥まで突かれた瞬間に、びりびりした痺れが走った。

頭が真っ白になるほど、強烈な快楽だった。頭の先から下半身まで貫く痛いような快感に身体が痙攣し、勢いよく潮を撒き散らす。花南はなおも腰を使い、彼の動きにあわせて飛沫《ひまつ》は何度も出た。そのあいだ絶頂の張りつめたような快感は続いて、性器を口から抜き取られ、たっぷりと顔に精液を振りかけられて、瑛介は床に崩れ落ちた。

「ぁ……っ、……は、……っ」

「可愛い、瑛介さん。まだびくってしちゃうね」

花南はそばに座って、瑛介を抱き起こした。彼の胸にもたれかかる格好で、瑛介はぐったりしたまま浅く喘いだ。ひらきっぱなしだった口はじんじんしていて、唾液がこぼれていく。涙で濡れた目尻や頬はかゆく、尻の孔も疼いている。思い出したようにひくつく身体はどこも重いが、絶頂の余韻はいつになくふわふわとした心地にさせてくれ、それがたまらなくよかった。

顔のあちこちを粘らせる精液の感触も嬉しい。苦しいのに、疲れたのに――ひたひたと幸福感が満ちてくる。

「よかった。いつもよりもっと気持ちよさそうな顔してる。……嬉しい？」

「……う、ん……」

頷くとじわりとまた涙が出て、かるく達したときのように意識が遠のく。ひくん、ひくん、と腹が波うち、そこを花南が撫でてくれた。

「声だけで甘達きできるなんて、スペース落ちだね」

「す……ぺ、……ぁ、アッ」

まともに声が出ない。撫でられた場所から走る快感に背筋をしならせ、ぷしゅりとまた潮が出た。

「知らない？　ＤｏｍとＳｕｂでセックスすると、Ｓｕｂがときどき陥る状態のことだよ。嬉しいのとか、気持ちいいのとかが限界に達して、ずーっと達ってるみたいな状態が続くんだって。ふわふわして、すごく幸せを感じるでしょう？」

「ん、……い、い……っ」

かるく唇を吸われただけで、またびくんと仰け反ってしまう。今度はなにも出ないかわり、弱い耳鳴りが襲い、甘い痺れが身体いっぱいに広がっていく。

快感だとか、喜びだとかでは足りないような充足感だった。気持ちよくて、心地よくて、なにもかもが満たされているようで——ずっと、このままでいたい。

「瑛介さんの身体は俺にぴったりだね」

ゆっくりと指を胸に這わせ、乳輪の周囲を撫でながら、花南が言った。見つめてくる眼差しはひどく幸福そうだった。

「俺といれば、毎回気絶するくらい気持ちよくなれるからね。瑛介さんは余計なことは気にしないで、俺のことだけ見てて」

「――花南」

うっとりとした表情にどこか違和感を覚える。雲の上を漂うような、あたたかく甘い心地が少しだけ冷え、瑛介は起き上がろうとした。だが、力が入らない。かるく乳首をつまれるとびんと痺れが走り、達した身体がくねった。

「ぁ、……ふ、……ッ」

「まだ達けるんだ？　可愛い……お尻にも入れたくなってきちゃった。瑛介さんのこと、ぐずぐずにしてあげたい」

嬉しそうに鼻先に口づけた花南は、瑛介ごと立ち上がった。がっちりと抱き上げてベッドに横たわらせ、クローゼットを開ける。

「やっぱり、これをつけてあげる。本当は鎖につないで、閉じ込めておきたいくらいだもの」

「――、それ、」

手にしているのは首輪だった。真っ黒で、留め具の銀色が冷たく光る。

「瑛介さんが俺のことしか見えなくなるまで、首輪しておこうね。これがあれば職場でも安心だし、つけて」

「――いやだ」

ゆっくり発音された『つけて』は明らかにコマンドだった。見下ろす花南の瞳がほとんど漆黒に見えることに気づくと、身体を覆っていた熱が引いた。手足が動き、瑛介はベッドの上で後退《あとずさ》った。

「首輪はいやだって言っただろ」

「いやでもつけて。さっき、弟のことを言った罰だよ」

「あれは――僕は、ただ心配して」

「弟を？　気持ちがわかるから？」

遮るように花南は言い、苛立たしげに顎を上げた。整った顔は棘がないはずが、恐ろしいほど冷酷に見え、グレアまでが氷のように肌を刺す。ぶるりと震えてしまって膝を引きつけ、瑛介は首を横に振った。

「ほかのお仕置きならいい。でも、首輪はいやだ」

「どうして？　瑛介さんは俺のものでしょう？」

花南は悲しげに顔を歪める。話が噛みあわないもどかしさと怖さに、瑛介はぎゅっと拳を握った。

「僕は一度も、きみのものになりたいとは言ってない」

「瑛介さんてば……まだ認められないの？　あなたは俺のものなのに」

「きみこそ、自分がめちゃくちゃなこと言ってるって認められないのか？　——レッド」

びく、と花南が強張って、瑛介は咄嗟に顔を背けた。それでも衝撃を受けて呆然とした花南の表情が目に焼きついて、震える手で服を拾う。心臓にひびでも入ったかのように痛む。

数分前まで、あれほど幸福だったのに。

本当は、セーフワードなんて言いたくないのに。

「今日は帰る。僕は……」

どう言おう、と迷って、冷たくなってしまった胸の内側を探る。強引なコマンドの前の悲しい気持ちが、さっきより重たさを増して蘇った。

「——僕は、心配したときに関係ないって突き放すような相手のことを、恋人だとかパートナーだとは思えない」

瑛介は話した。これまで誰にも打ち明けたことのない楓への思いも、花南には言えた。だが、花南にとっての瑛介は、弟との関係を心配されるのさえ鬱陶しい程度の相手なのだ。

裸のまま寝室を出て、リビングで服を着て、荷物を手に部屋の外へ出るまで、花南は寝室から出てこなかった。

　花南から電話がかかってきたのは三日後、祝日の月曜日のことだった。このあいだはごめんなさい、としおらしい声で、花南は謝った。

『俺が悪かったです。今日の夜は時間があくから、会いたい』

「――きみの家？」

『ううん。許してくれるなら、瑛介さんの部屋まで俺が行く。直接謝りたいんだ』

「明日は仕事だ。……来週は？」

『今日がいい。俺が馬鹿なことを言わなかったら、本当はずっと金曜日から今まで一緒に過ごせたはずだもん。泊まったりしないで、ただ会うだけだから』

　お願い、と切羽詰まった声を出されると、もう一度拒む気にはなれなかった。住所を教えると、花南はほっとしたように礼を口にし、八時には行けると言って電話を切った。

　予定どおり午後八時すぎには彼が訪ねてきて、ドアを開けると、花南は怒られた大型犬みたいな顔で立っていた。手には黒い箱状のバッグを提げている。

「これ、お土産。瑛介さんが好きだって言ってた塩ラーメン」

「塩ラーメンって……うちの会社の近くの？」

はじめのころに、好きな食べ物の話をした記憶はある。和食系が好きだけれど、塩ラーメンは別格で、とくに会社の近くの店のものが好きだと言ったのだ。

「うん。タクシー急いでもらったから、まだ伸びてないと思う」

「僕がもう晩ごはん食べ終わってたらどうするつもりだったんだよ」

「そのときは俺が食べればいいいと思って」

「外食嫌いなんだろ」

真面目な顔の花南にため息をついてみせたが、食欲がなくて、一昨日からほとんど食べていなかった。金曜の夜、惨めな思いを抱いて自分のマンションに帰ってきてからというもの、ずっと体調が悪いのだ。土曜日は起き上がれないほどで、だるく、気持ちがふさぎきって、そのくせ眠りは浅く、疲労が溜まる一方だった。今もまだ、全身が重い。

とりあえず入って、と招き入れ、テーブルの上で配達に使うみたいな保温できるバッグを開けてみると、容器は二つ入っていた。

「……僕がいらないって言ったら、二人分食べるつもりだったわけ？」

「うん。三人前くらいの量なら平気」

「そうじゃなくて。苦手なのに、二人分も食べるのはしんどいだろう」

「平気」

わざとぼけているのかと思うくらいの真顔で、花南はなおも言った。

「瑛介さんのためだったらなんでもできるし、一緒に食べてくれるなら、誰が作ったものでも大丈夫だよ」

「……」

「おなかすいてない？　瑛介さん、ダイナミクスが乱れると食欲なくなるでしょ」

花南はわざわざテーブルを回り込み、瑛介のために椅子を引いてくれた。目の前で容器の蓋を開けられると、食欲をそそる匂いが漂って、瑛介は割って手渡された割り箸を受け取った。すすれば久しぶりの味が口いっぱいに広がって、空腹感が込み上げてくる。二口目を箸で持ち上げて、瑛介は立ったままの花南を一瞥した。

「きみも座って食べなよ。急いでもらったのに伸びちゃうよ」

こくんと頷いた花南は向かいに座って箸を手にした。けれど手はつけず、じっと瑛介を見つめてくる。

「この前は、本当にごめんね。弟が来て、自分で思ったよりもイライラしてたんだと思う」

「……弟さん、大丈夫なの？　あんな時間に訪ねてきたんだから、大事な用か、急用だったんだろう」

「平気だよ。あの何日か前に、父がまた俺の仕事の内容を嗅ぎつけたらしくて、何度も電話してきてたんだ。どうせ文句を言われるだけだから無視してて、キレた父が弟に話してこいって命令したみたい。弟は父に逆らえないけど、俺と会うのもいやだから機嫌が悪くて、ごちゃごちゃ言われて俺もむっとしちゃった」

　今日の花南は素直に教えてくれる。

「楓くんと共演で撮ってるドラマ、俺の役って主人公四人のうちのひとりで、女装する男なの。父はそれがいやなんだ。差別的なこと平気で言う人だからさ」

「……そうか」

「普段なら全然気にならないんだよ。仕事の妨害されたって、なにを言われたってなんとも思わないけど、金曜日はすごく腹が立った。せっかくの瑛介さんとの時間を邪魔したあげく、そんなことかよって。——自分があんなふうに怒るなんて思わなかった」

　花南は一口ラーメンをすすって、上目遣いに瑛介に視線をよこした。

「瑛介さんには叱られちゃったけど、どうでもいい家族に腹が立つくらい、俺にとっては瑛介さんが大事なんだ。……許してくれる？」

　瑛介は黙ってラーメンを口に運んだ。花南からはいっさいグレアが出ていない。しゅんとしておとなしい態度も、誠実に話そうとする言葉遣いも、花南が本気で謝りたいのは伝わってくる。好かれてはいるのだ。たぶん本気で、愛してくれている。

　だが、その本気はいつまで続くのだろう。Ｄｏｍは好きな相手にはとことん優しいが、認めない相手に対しては冷酷な人間も多いという。花南の弟に対する態度はまさにそれで、飽きられたら自分もあんなふうに扱われるのだと思うとぞっとしてしまう。

けれど、この三日間は瑛介もつらかった。体調不良には慣れているはずが、久しぶりだからか、音を上げたいほど苦しかった。たった三日だ。喧嘩して、三日間離れ離れで過ごしただけなのに――一度でもＤｏｍと過ごす喜びを知ってしまった分、相手がいない、満たされない状態がつらいのだ。

この先の人生を、Ｄｏｍなしで生きられる気がしない。ひとりで生きるとしたら、相当の覚悟がいるだろう。

花南をつなぎとめたい気がするのは体調のためだ、と考えながら、瑛介は花南を盗み見た。神妙な顔つきでじっとこちらを窺う花南も、少しやつれているようだ。瑛介の視線に気づいて、訴えるように身を乗り出す。

「俺、瑛介さんが好き。瑛介さんがいてくれなくちゃ困る。……お願い、もう一回、あなたに尽くさせて」

ふわっと身体が揺れるような心地がして、瑛介は俯いた。残ったラーメンを無心にすすり、ごちそうさまでした、と手をあわせて、「食べなよ」と促す。花南は不満そうにしながらも食べはじめて、残さずたいらげた。濡れた唇を拭う仕草を見つつ、瑛介は口をひらいた。

「僕は、できればセーフワードを使いたくない」

「……うん」

「きみは勘違いしているかもしれないけど、Ｓｕｂだからって、無理やり言うことを聞かせられるとか、強引なやり方とかが好きなわけじゃない。組み敷かれるのも嫌いだったんだ」

「うん」

「パートナーとして関係を持つなら、一方的なのはいやだ。きみが悩んでいることがあるなら、多少でも力になりたいと思うよ。だから、きみがＳｕｂには対等な顔をされたくないって言うなら、今日で終わりにしたほうがいいと思う」

「そんなことないよ！」

　花南が立ち上がった。

「言ったでしょう、瑛介さんは俺の王様だって。俺が尽くしたいのはあなただけで、瑛介さんにも俺のことだけ好きでいてほしいって思ってる。……家族のこと、関係ないって言ってごめんね。あれは、弟にやきもちをやいたんだ。あいつの気持ちがわかるって瑛介さんが言うから……」

「うん。そうなんだろうなって、わかったよ」

　叱られないかと窺うように控えめに近づいて手を握られ、瑛介は彼を見上げた。まっすぐな眼差し。一途で、一般人の恋人ができたくらいで浮かれて、弟にまで嫉妬する独占欲の塊で、瑛介の身体を思うがままに操って変えてしまった男。

いなくなったら生きていけないかもしれない、という恐れを、瑛介は打ち消した。

「――じゃあ、また次の週末から、一緒に過ごそう」

大丈夫、と胸の内で思う。

可愛いとは感じても好みのタイプじゃないし、まだ恋をしたわけじゃない。突き放さないのは――そう、次の相手を見つけるまでの、保険みたいなものだ。

（すがっているのは花南のほうで、僕が離れられないわけじゃない）

十月の四回目の日曜はよく晴れた気持ちのいい日だった。大きな窓からは都会の街並みと青空が見えて、優雅な食事を楽しむのにぴったりな眺めだ。丸テーブルに並んでいるのは上品な中華料理で、室内は赤と金の華やかな内装になっている。

今日の主役である楓を囲んで、楓の両親と瑛介の両親は楽しそうだ。楓はにこにこしながら満遍なく親たちと会話していて、視線を独り占めにしていた。

（……やっぱり、来なければよかった）

それかせめて、セーフワードを使えばよかった、とこっそり胸を押さえる。手のひらに当たるのは硬い無機物の感触だ。両胸——乳首の上に貼りつけられた、小さなローターの違和感が、意識すまいとしても気になってしまう。

二十三日は楓の誕生日会だと言ったら、これをつけてほしい、と花南に頼まれたのだ。ピンク色をした性的な玩具など、もちろんつけたいはずもない。いやだと瑛介は言ったのだが、花南は食い下がった。

「このあいだ瑛介さんを怒らせちゃったばっかりで、こんなことを頼むのは悪いとは思うよ。でも、楓くんの誕生日会なんでしょう？　——俺、楓くんに瑛介さんを取られたくない」

取られるわけないだろう、と言っても花南は聞かなかった。グレアを出すこともなく、お願い、と頼み込んだ彼は、「つけていってくれたら、夜はホテルでいっぱいご褒美あげますから」と言った。

「ホテルで会食するんですよね？　同じホテルに部屋を取るから、瑛介さんのしたいこと、全部しましょう。なにか簡単なコマンドを出して、たくさん甘やかしますから」

そう懇願され、気持ちが揺れてしまった。

先週末は花南のマンションに泊まり込んだが、花南は「反省しているから」とグレアを出すことも、命令することもなかった。ただひたすら瑛介の世話を焼き、労るように触れて、甘いだけのセックスをして過ごし、それはそれで悪くなかったのだけれど。

（……花南のグレア、全然浴びてない）

熱や重ささえ感じるような圧倒的な彼のグレアが恋しかった。息苦しいほど強力なのに、あたたかくて心地よくなれるあの感じを、もうずいぶん受け取っていない。小さな玩具を身につけて数時間過ごせば、夕方からは花南にＳｕｂとして扱われるのだ、と思うと、セーフワードは言えなかった。

言えないなら誕生日会に来ないという方法もあったのに、とひそかにため息をつくと、急に肩を揺すぶられ、瑛介はどきっとした。

「ちょっとえいちゃん！　ぼくの話全然聞いてないでしょ。ぼーっとして胸を押さえたりして、大丈夫？」

いつのまにかぴったり椅子を寄せた楓が肩を摑んでいる。慌てて胸から手を離し、なんでもない、と取り繕った。

「ちょっと考え事をしてたんだ。ごめん」

「考え事って、恋人のことかなー？」

楓はにんまり笑って腕に抱きついた。

「ぼく、一目見て興奮しちゃった！　えいちゃん、雰囲気全然違うんだもん！　綺麗になったし、なんだか色っぽいし。ね、おばさんもそう思うでしょ？」

よせ、とたしなめるより早く楓は瑛介の母に話を振ってしまい、瑛介はうろたえてビールのグラスを手にした。母は首を横に振った。

「老けただけよ。瑛介は楓くんと違ってただの一般人だもの。楓くんのほうがずーっと可愛いし色気もあるわ」

はじまった、とうんざりする。アルコールで顔を赤らめた父も、機嫌よく頷いた。

「まったくだ。楓くんは仕事も順調だろう？　新しいＣＭ、おじさんも見たよ。爽やかでとてもよかった」

「わ、ありがとう！　家族に褒められるのって嬉しいな」

「それに比べて瑛介ときたら、五年は向こうで頑張るものだと思っていたのに、三年で戻ってきてしまうなんてね」

「でも、大きな会社で顔になるような仕事をしてるなんてすごいわ。私、あのブランドのハンドクリーム愛用してるの」

にこやかにフォローを入れてくれたのは楓の母親だ。

「瑛介くんはわがままな楓にもずっとつきあってくれてる、頼りになる従兄よ」

「うん！　ぼくえいちゃんのこと大好き」

中学生みたいな無邪気さで楓が抱きついてくる。パパも好きだよね、と楓に話しかけられた伯父は人のよい笑顔で数回頷いた。彼は無口なのだ。瑛介の母親は両手を振った。

「仲良くできてるのは楓くんのおかげよ。瑛介ったら友達も少なくて……恋人だって、いてもたぶん長続きしないのよね。一度も連れてきたことがないんだもの。家を出たら全然電話もよこさないし」

「息子はそんなものだろう。くだらないことで親を頼るよりはいいよ」

フォローにならない父の言葉に、母はため息をついてみせた。

「だから子供は女の子がよかったのに。それか、楓くんみたいに可愛い子がほしかったわ」

ざくりと、思いも寄らないほど深く胸が抉られて、瑛介は曖昧な表情のまま固まった。

——知らなかった。母は、娘がほしかったのか。

「あら、瑛介くんだって可愛いじゃない」

「全然よぅ。変にいい子で、可愛げってものがないの、瑛介は。悪いことはしないけど、楓くんみたいに絶賛されたり憧れられたりするようなところもなくて、平凡なだけ。娘だったらそれでも、一緒に買い物とかできたでしょうけど」

楓の母親の言葉にも母がつまらなそうに言うのが、抉れた胸の中に虚しく響いた。

(じゃあ……人前で謙遜ばかりしてたのも、べつに僕に期待していたわけじゃないのか)

あなたならもっとできるでしょ、と言ってくれたときも、心の底では、娘がよかった、と思っていたのだろうか。望まない息子だからこそ、せめて優秀であってほしかったのかもしれない。

「瑛介くん、買い物にはつきあってくれないの？」

「頼めば来てくれることもあるけど、瑛介がおともじゃ盛り上がらないのよ。楓くんと違って、なにを着せても代り映えしないんだもの、毎回がっかりしちゃうの」

　母は苦笑まで浮かべて首を横に振っている。

（……そりゃ、僕より楓のほうがいいわけだよな。楓のほうがずっと可愛いし、自慢できる）

「ええー、だったらえいちゃんのことはぼくがもらっちゃおうかな！　お兄ちゃんがほしかったもん。あ、それかぼくがえいちゃん家の子になろうか」

「あらだめよ、パパが泣いちゃうわ。いいじゃない、従兄弟同士、二人とも両家の子供みたいなものよ」

　楓の朗らかな声に続けて彼の母親が取りなすように言ってくれ、瑛介はどうにか笑みを浮かべた。気にしていないそぶりで、そういえば、と話題を振る。

「楓は好きな人とかいないの？　もう二十五だろう」

「ぼくはまだみんなのアイドルでいたいから恋愛は禁止です」

「そうよね！　おばさん、楓くんに恋人ができたら泣いちゃう。特別に素敵な人じゃないとつりあわないわ」

「早く結婚してほしいけど、でもお婿にいっちゃうのも寂しい……」

「瑛介が女の子だったら結婚できただろうになあ、残念だ」

わざとらしくすまして見せる楓に、母親二人がきゃあきゃあと盛り上がる。父までが話をあわせるのを聞きながら、そうか、ともう一度噛みしめた。

思っていた以上に、両親に好かれていなかったのだ。二人にとって瑛介は、出来が悪くて自慢できないというだけでなく、望んでいない息子だった。

(——意外と、つらいものだな)

親に愛されていないくらい、もういい大人なのだから傷つくまでもないことだ。そう思おうとしても、胸の痛みが引いていかない。

目を伏せてビールのグラスに口をつけようとした途端、急にびりびりとした振動が身体を襲った。思わず前屈みになり、胸を押さえそうになる。胴体すべてが震えたように感じたが、動いたのは乳首の上のローターだった。

(……っやば、か、感じ、そう……っ)

「えいちゃん？　おなか痛いの？」

気づいた楓が心配そうに顔を覗き込んでくる。汗が背中を伝い、瑛介は首を横に振った。

「大丈夫。……ちょっと、トイレ」

振動音に気づかれてしまいそうで、それも怖い。返事を待たずに椅子を蹴るように立ち上がり、トイレの個室に駆け込んだ。スマートフォンを取り出し、痺れて感じる手でメッセージを送る。

『とめろよ、馬鹿』

数秒で既読の印がつき、ふっと刺激がやんだ。大きくため息をつくと、返事が来る。

『誕生日会、あとどれくらいかかりそうですか？』

『たぶん、三十分くらい』

終われば「お茶でも」と母親同士が誘いあうだろうけれど、瑛介はもともと食事だけで帰るつもりだった。

（……ほんと、なんで来ちゃったんだろう）

楓と一緒に親と顔をあわせれば、ああやって貶されるのはわかっていたのに、うっかり楓にほだされるなんてどうかしていた。

ふう、ともう一度息を吐き、瑛介は胸を押さえた。硬いローター。ずんと腹まで響く、痛みを伴う乳首の快感。

唇を噛んで逡巡し、瑛介はスマートフォンの画面を見つめた。

『……もう、帰りたい』

会いたい。だってこれを外してもらいたいし、と言い訳しつつ、どこにいる、と続けて打つと、花南は「近くにいます」と返してきた。

『せっかくの楓くんの誕生日会ですから、最後まで参加してください。あとでまたローターのスイッチを入れてあげます』

「……ローターは、いやだって、」

　声に出して呟き、きつく目を閉じた。さきほどの振動で襲ってきた刺激が思い出され、腹の奥と性器が熱っぽく疼いてしまう。家族の前で快感をこらえきれず、声が漏れる場面を想像すると、背筋がぞくぞくした。

『頼む。動かさないで。誕生日会は最後まで出る』

『頑張って。覚えてる？　俺の見てないところでは達ってほしくないって言ったこと。だから、ちゃんと我慢してね』

　文面に、くらりと目眩がした。つまりこれは、ローターが動いても、射精せずに我慢しろ、というコマンドなのだ。

　できない、と言いたかった。さっきみたいに強い振動を感じたら、次はたぶん勃起してしまう。いつまでも振動がとまらなければ、射精を我慢するのは無理だ。しつこくいじられて以来、乳首は完全な性感帯だった。

『終わったらまた連絡して』

　会話を打ちきる気だとわかるメッセージを見て、瑛介はふらふらとトイレを出た。鏡には潤んだ目つきの自分が映っていたが、ごまかす術もなく、会食の個室に戻ると、楓が駆け寄ってきた。

「大丈夫？　もし具合が悪いなら、花南くんに迎えに来てもらえば？」

「――平気だから」

親には聞こえないように囁いてくれたのはありがたいものの、気遣わしげな視線がわずらわしい。胸のローターばかりが気になって、笑顔を取り繕う余裕もなかった。椅子に座ってビールを飲み干し、かたちだけ料理に手をつける。体調が悪いと勘違いしている楓は、瑛介を無理に会話に加わらせようとはせず、楽しそうに場を盛り上げていた。

そういう気遣いはできるんだよな、と思いつつ、いつローターが動いてもいいように身構えて過ごす三十分は、ひどく長く感じられた。だが、デザートまで終わって個室を出ても、結局ローターが動くことはなかった。

階下に下りるエレベーターに六人揃って乗り込み、案の定ラウンジでお茶を飲もうと盛り上がる親たちを見ながら、もしかしたらただの脅しだったのかもしれない、と思う。

（あとでって言ってたから、二人きりになったらスイッチを入れるつもりなのかも）

きっとそうだ、とほっとして力を抜き、ロビーへと下りて、瑛介は親とともにお茶を飲みに行こうとする楓を引きとめた。

「僕は帰る、……ッ」

瞬間、ぶるっと振動が肌を伝い、息がつまった。身体がかしぎ、よろめいてどうにか踏みとどまると、楓が眉根を寄せて肩を支えてくれた。

「やっぱり具合悪いんだ？　ごめんね、無理しないで休んでくれてもよかったのに」

「……朝は、なんともなかったんだ」

　振動の強さは一定ではなく、弱まったり、強くなったりを繰り返す。不規則な動きにちかちかと目眩がしてきて、荒い息をしながら楓を振り払った。

「親には適当に言っといて。……誕生日、おめでとう」

「タクシーまでつき添うよ」

「いいから。親に気づかれるほうが面倒なんだ。早く」

楓を急《せ》かし、なおも振り返って気にする彼の手前、いったんホテルを出ようと歩き出す。

だが、いくらも行かないうちにさらに振動が強くなり、響き渡る音への羞恥とどうしようもない快感で膝ががくがくした。

（だめ……っ、い、達きそ、……こんなとこ、で）

　とめて、と頼もうとスマートフォンを取り出すのと同時に、電話がかかってきた。花南だ。

『最後まで頑張れたみたいですね。そのままエレベーターに乗ってください』

「先に、これ、とめてくれ」

『部屋に着くまであと少しですよ。ほら、歩いて』

電話越しではグレアなど感じ取れるわけもない。なのに、瑛介の身体は命じられると条件反射のように動いて向きを変えた。ふらつきながらエレベーターホールにたどり着くと、一番奥の箱の前で長身の姿が待っていて、ひくんと喉が震える。

「花、南」

「いい子ですね、瑛介さん」

スマートフォンを耳から離し、彼が微笑んで手招きした。ちょうど着いたエレベーターから降りてきた人たちが、目立つ花南に露骨に視線を向けるのに、彼のアースアイはぴったりと瑛介を見据え、一瞬たりとも外れない。

(——僕のことしか、見てない)

近づくと肩を抱かれ、安堵で視界が暗くなった。それとほぼ同時にぴゅっと漏れ出す感覚が駆け抜け、瑛介は息をつめた。

「……っ、……ん、」

「出ちゃったね。お尻かくかくしてる」

エレベーターの中に乗り込んで二人きりになると、花南は耳元に顔を近づけた。

「お外で達っちゃうなんていやらしいね?」

「——っ、ぁ」

誰のせいだと思っている、と怒らなければならないはずだった。けれど溢れ出したのは涙で、どうしようもない焦燥感が込み上げてくる。

「ごめん……、我慢は、したんだ……」

「わかってます。瑛介さんが顔を赤くして耐えてるの、見てましたから」

優しい声を出した花南が、こめかみから髪をかき上げ、頬にキスしてくる。

「達っちゃったの俺の前に来てからだから、許してあげます。……大好き、瑛介さん」

「あ、……っ」

甘い声と眼差しに、脚から力が抜けていく。焦燥感が消え、かわりに嬉しさがいっぱいに胸に満ちて、瑛介は花南に抱きついた。抱きつかずにはいられなかった。

両親にも不満に思われていた瑛介を、花南だけは愛してくれる。

「花南……、僕」

「キスはまだだめ。ご褒美は部屋に着いてからね。たくさん、気持ちいいことしましょうね」

そっと唇を押さえながら、花南は嬉しそうに微笑んだ。

「射精しちゃってお仕置きされるかもしれなかったのに、ローター外さないでつけっぱなしにしてくれて、ありがとう」

「……それは」

「もしかしたら気に入った？　好きなら、今度つけたままデートしましょう」

エレベーターが減速してとまる。腰を抱かれて通路へ出て、絨毯を踏みしめながら、瑛介は涙を拭った。

「やだ……やだけど、きみが、したいなら」

もう一度言われたかった。大好きと言って、撫でてほしい。抱きしめられたい。裸になって肌を触れあわせ、深く貫いてほしい。

「そんなに悲しそうな顔しないで、瑛介さん。ローターデートはいやならしなくていいですよ。俺は瑛介さんが好きなことしかしたくないもん」

鍵を開けて入ると、中はスイートルームだった。花南は瑛介をまっすぐ寝室に連れていく。ベッドの前で振り返るとようやく顔が近づき、瑛介は唇をひらいてキスを受けとめた。

「……っは、……ん、ふぅっ、……んん……っ」

絡めては離される舌がもどかしい。追うように舌を突き出すと、花南はかえって顔を遠ざけ、瑛介の服を脱がせはじめた。ローターを外して表情をたしかめ、心配そうに小首をかしげる。

「誕生日会のあいだに、なにかいやなことでもありました？」

「——どうして？」

「泣き方が悲しそうです。キスも待ちきれないみたいだったし——ここは勃ってないし」

さわっと股間を包まれ、瑛介は身悶えそうになりながらかぶりを振った。胸を抉った母親の言葉を、口に出す気にはなれなかった。

「さっき、出ちゃったばっかりだから」

「そう？　なにもなかったならいいですけど——ローター、そんなに苦痛でした？」

「…………ううん」

もう一度首を振って、自分でも愕然《がくぜん》とした。性的な玩具なんて、誓って好きじゃない。なのに、母親にああ言われたとき、もしローターが動かなかったらもっとつらかっただろう。

むしろつけておいてよかった、と思う自分が信じられないが——もう、偽ることはできなかった。

「ローターは……花南が独占欲でつけてくれたから——、き、きらいじゃ、ないよ」

服を、自分からも脱ぎ落とす。花南のベルトに手をかけ、瑛介は言った。

「したい。……抱いて。ほしくて……死にそう、なんだ」

褒めてくれ、と言いたかった。なんでもいい、抱きしめてあやして、全部忘れるまで溺れたい。

「嬉しいな。俺も早くあなたに入れたい」

うっとりと花南が目を細め、脱がせて、と囁いた。同時に、ぶわりとグレアが膨れ上がる。

「もっとほしがって？」

「——っ！」

貫かれたときのように快感が湧き起こり、夢中で彼を裸にした。命じられるままベッドの上で花南の分身を舐めしゃぶり、自分で孔を慣らして、彼の下半身にまたがる。下から挿入され、両腕を摑まれた格好で、もどかしく腰を振った。

「っふ……、ぅ、く、……ッ」

「もっといやらしく動いていいんだよ？　しっかり支えててあげるから、遠慮しないで好きなところに当ててね」

たっぷりとグレアを放出しながらの言葉はどれもコマンドだ。ぐちゅぐちゅと音を響かせながら尻を上下させ、けれどどうしても、奥壁には切っ先を当てられなかった。

痺れるような快感はあるのに、騎乗位では完全に身を委ねられない。努力して深くまで呑み込もうとするとぶるぶると身体が震え、瑛介はぼろぼろ泣いた。

「できない……っ、い、いけな、い……っ」

「自分で動くの、好きじゃない？　俺にピストンされるほうが好き？」

花南は彼のものを呑み込んだ窄まりに指を這わせた。

「俺が動いたら、瑛介さんのことぐちゃぐちゃにしちゃいそうだけど、それでもいい？」

低く甘い声は毒のようだった。じっと覗き込むアースアイに、まるで瑛介の欲望がすべて映し出されているみたいに——的確に、弱い部分を抉り出す。

「ぐちゃぐちゃにして、俺でいっぱいにして、朝まで離さないよ？」

「——いい……、いいから……っ、ぐちゃぐちゃに、して……」

すすり泣いて懇願し、必死で内襞を使って雄を締めると、花南がうっすら微笑んだ。

「おねだり、さらに上手になりましたね。偉い子にご褒美をあげます」

「あ、あ、ぁ……ッ」

ずるりと性器が抜け、押し倒されて再び貫かれる。ぐんと奥壁が押し上げられ、身体が勝手に反り返った。

「————っひ、…………ッ！」

焼けつくような激しい絶頂は苦しいほどだった。息もできずに震えてぐったりすると、花南は瑛介の左脚を抱え上げた。

「思いきり達けたね。奥もとろとろだから、強く突いてあげる」

「っ、ま……、って、まだ、達って、……い、……あ、あ、あ……ッ！」

硬く逞しいものが奥壁めがけて突き入れられた。速い動きで何度も穿たれ、掘削される恐怖に竦むような心地がしたが、実際には肉体は脱力したままで、ぬぷり、と切っ先が沈むのがわかった。

「早くここも貫通してあげたいなあ。この狭いとこ、ずぷって入れたら気持ちいいよ？」

「……ッぁ、は、……ぁ、あ……」

「行きどまりだけでもお潮漏れるもんね。今日はすごいね。吹くんじゃなくて、だらだらーって、壊れちゃったみたい」

笑みまじりに囁いて、花南は弄ぶように抜き差しした。太い肉棒が狭まったところをこじ開けては、ぐりぐりと捏ね回す。圧迫感と重たさに腹の中が崩れていくようで、視界には星が舞った。

「ッ、や、……ぁ、……ッぁ、ン、あ、ア……ッ」

「お漏らし気持ちいいねえ」

勢いをつけて突き上げながら、花南は瑛介の腹を撫でた。

「俺もすっごく気持ちいいよ。もう出そう……中出しするから、瑛介さんはスペース落ちしてくれたら嬉しいな。落ちてくれたら、いっぱいキスしてあげる。キスして、瑛介さんが達きまくって、立てなくなるまでエッチしたい」

「あ、あ……っ、ふ、……ぁ、……っ」

「あなたが、ほしくてたまらないんだ」

抜かれ、入れられ、ざわつくような快感が制限なく広がる。嬉しかった。苦しいほど花南に求められると、彼にとってのかけがえのないものだと感じられる。

嫉妬も、性器につけるリングや淫らな玩具も——全部、愛されているからだ。

「っん、ひ、あ……ッ、ぁ、……っア、……！」

震えながら達し、脱力する暇もなく再び絶頂まで押し上げられて、瑛介はぴんとつま先をつっぱらせた。

幾重にも重なり響きあう快楽に呑み込まれ、高く飛ぶようにも、墜落するようにも感じる。まともな感覚も思考も霧散して、気がついたときには花南は隣に身を横たえて、瑛介の髪を梳いていた。

硬くてしっかりとした腕枕と、耳や首に感じる彼の体温が心地よかった。身じろぐと、花南が低い声で囁く。

「寝てていいよ。すごく疲れてるみたいだから、無理しないで」

「……いま、なんじ？」

瑛介の声は掠れてがらがらだった。四肢は重くだるいが、満ち足りた気分で心地がいい。腕を花南の身体に回すと、ごくかるく、唇を吸われた。

「まだ夜の八時。瑛介さん思いきり達ったみたいで、そのまま寝ちゃったの」

「——ごめ、ん」

「いいよ。おなかはすいてない？　食べられそうになったらルームサービス取ろうね」

「僕はまだ……きみは？」

「ひとりで食べるほどじゃないよ」

花南は目元やこめかみにもキスをして、前髪を整えるように撫でた。

「しんどそうだから無理はしてほしくないけど、キスはいっぱいしようね。ほんとは、来週のロケだって瑛介さんと一緒に行きたいくらい」

「ロケ？」

「うん、関西まで行かなきゃいけないんだ。ごめんね、週末一緒に過ごせなくて」

申し訳なさそうに眉を下げる表情に、自分でもびっくりするほど落胆して、瑛介はじっと花南を見返した。

「週末って、土日も仕事なんだ？」

「ドラマとは別の仕事で、明日の午後から行って、帰ってくるのは日曜の夜遅くの予定なの」

花南はなだめるようにちゅっとキスした。

「寂しいなら、ビデオ通話にしてやらしいことしようか。離れてても俺、瑛介さんのこと気持ちよくしてあげられるよ」

「……いらないよ、そういうのは」

落胆が苦い寂しさにかわり、瑛介は花南の胸に顔を押しつけた。それが甘えて見える仕草だと気づいて、さらに悲しくなる。花南は頭を撫でながら、優しく「ごめんね」と言った。

「帰ってきたら、またいっぱいセックスしてあげる」

（……なんで、そんな言い方するんだよ）

花南はまるで、セックスしかしたくないみたいだ。

思えば、花南とは馬鹿みたいに寝てばかりだ。毎週毎週、ときには平日も、やりたい盛りの高校生並みの頻度で——彼とつきあう前は、月に一度でも面倒なことがあったのに。

もちろん、花南とするのは気持ちいい。ＤｏｍとＳｕｂだからかもしれないが、快楽の度合いはほかの人間とのセックスとは比べものにならない。

だが、花南に「身体以外用はない」みたいな言い方はしてほしくなかった。

（ほかにもあるだろ。ゲームしたり、喋ったりだって楽しかったし、一緒に食事するのとか……猫舌だとか不眠症とか、意外な一面を知るのだって、僕はけっこう）

好きだと思ってる、と考え、瑛介は愕然とした。

——好き？

自分が、花南を？

（……そんなはず、ないよな）

だって、好きなのは花南のほうだ。あっちがつきあってくれと言い出して、特別だと言ってすがってきたから、瑛介は受け入れただけだ。

顔を上げて花南の顔を盗み見ると、彼は首をかしげて無邪気に言った。

「どうしたの？　寂しそうな目になっちゃって、もう一回中出ししてほしくなった？」

「――いや」

明るい花南の声が悲しく思えて、瑛介は逃げるように目を閉じた。してほしいのは中出しなんかじゃなく、もっと別の――心を満たす行為だと、認めたくない。

これではまるで、瑛介のほうが、花南との関係に溺れているかのようだ。


花南に関するゴシップ記事がネット上に公開されたのは、五日後の金曜日のことだった。

瑛介は朝から何度見たかわからないアプリをひらき、花南からの新しいメッセージがないのを確認してスマートフォンを置いた。向かいに座った中村が、パスタをフォークに絡めて心配そうに言った。

「神奈木さん、食欲ないみたいですね」

「うん。……ごめん、食事中に」

「いいですよ、全然。私だって気になりますもん、花南くんの記事」

クリーム味のパスタを一口食べて、中村は「無責任ですよね」と唇を尖らせた。

「あんな記事載せる必要あります？　花南くんはなんにも悪くないのに」

「そうだね……」

記事では、花南は父親との確執を報じられていた。父は地元の名士だが、昔から夫婦仲は冷えきっていたという。半ば公然と愛人を囲っている父は、花南の芸能界入りに激怒し、花南との縁を切って隠し子を認知し、後継にしたいと周囲に漏らしているそうだ。つい先日は帰省した花南と父親のあいだで、外まで響くほどの言い争いがあったらしい。父は今でも事務所に抗議の電話をかけるなど花南の芸能活動を妨害しているとのことで、家族の存在が花南のキャリアに影を落とすかもしれない、というような内容になっていた。

「好き勝手なこと書きますよね、週刊誌って。私、久しぶりにむかつきました」

中村は腹立たしげにどんとテーブルを叩く。

「でも、花南くんのせいじゃないのは誰にだってわかりますよね。爽やかで優しいイメージだから、家族との不仲はたしかにマイナスかもしれないけど、仕事には影響ないんじゃないかな。うちの広告だって予定どおりですし」

「——でも、撮影のスケジュール早まったよね」

ちょうど昨日、マネージャーから連絡があって、こちらが提示した日取りの中で、一番早いタイミングで撮影日が決まったばかりだった。中村も途端に不安そうな表情になる。

「けっこう急に決まりましたよねえ。なるべく予定を白紙にされたくなくて動いてるのかも」

「町谷くんはどこの現場でも評判いいみたいだから、大丈夫だとは思うけど」

下手をすると、会社のイメージが損なわれるのを気にして、上層部が花南は使わないと言い出すかもしれない。本人の不祥事ならともかく、花南に非がないのに仕事のチャンスが減るのはあまりにも不憫《ふびん》だ。

（だいたい、記事が出るタイミングがおかしくないか？　楓と一緒のドラマは冬から放送だって言ってたし、父親とのことなら、もっと前に記事が出てもいいだろうに）

なんだか記事からは悪意が感じられて、いやな雰囲気だった。

瑛介はどう頑張っても食べる気になれないパスタを諦めてフォークを置き、もう一度スマートフォンを見た。当然、新しいメッセージはない。

自社の仕事に関わりがあるから心配なのはもちろんだが、もうひとつ気がかりなのは、花南が実家に帰るとは一言も言っていなかったことだった。記事に書かれていた、言い争いが聞こえたという「先日」がいつなのかは不明だが、弟が花南を訪ねてきたよりもあとだとすると、花南は瑛介にはなにも言わず、実家に戻っていたということになる。

もちろん、花南が黙っていた、と決めつけるわけにはいかない。けれど、午前中に案じて送ったメッセージには、「大丈夫だよ」としか返ってこなかった。迷った末に、「心配されるのは迷惑なのか？」と聞けば、「もちろん嬉しいです。だって瑛介さんが俺の恋人だって確認できるから」と書いてよこすくせに、続けて送られたのは「夜なら時間があります。電話してくれれば、瑛介さんがオナニーするの、手伝ってあげますよ」という文章で、いっそう憂鬱な気分になった。

花南とは月曜の朝まで一緒に過ごしたから、会っていないのは実質四日半だ。これまでだって週末しか会わないのが普通だったのに、ずいぶん長く顔をあわせていないような気がした。

(好きだって、きみが言ったくせに……なんでセックスのことしか言わないんだ)

結局あれは、口先だけだったのかもしれない。三年も探して待っていてくれたけれど、実際に一緒に過ごしてみたら、たいしたことない人間だと気づいた——というのは、いかにもありそうだ。

べつに珍しいことではない。告白してきた相手が「思ってたのと違う」と去っていくのは、以前にも経験がある。花南も、きっと同じなのだろう。

(そうだよな。僕は秀でたところがなくて、平凡でつまらない人間なんだから)

親にも失望されてるし、と口元がみっともなく歪みそうになって、コーヒーのカップで隠す。中村がさりげなく瑛介を観察しているのはわかっていたから、内心の荒れを表には出したくなかった。苦いコーヒーを呷って、いいだろ、と自分に言い聞かせる。

(僕だって、そこまで好きだったわけじゃない。花南が褒めてくれるのがいい気分だっただけで、よく考えたらそういうの恋愛じゃないよな)

自分にとって都合のいい男だから、気に入っていただけだ。花南がセックスにしか興味がなくてもかまわない。早めに関係を終わらせれば、後腐れなくすっきりするだろう。広告の撮影日は十一月の下旬だから、気まずくなく仕事を終えられるように、撮影後に別れよう。否、そもそもつきあうと言ったわけじゃないから、別れるまでもない。ただ、セフレみたいな関係を断ちきるだけのことだ。

そろそろ戻ろうか、と腰を上げかけたところで、カフェの扉が開くのが見えた。入ってきたのは見覚えのある横顔で、瑛介は中腰のまま固まった。

楓だ。サングラスをかけた芸能人然とした格好で店内を見回した彼とまともに視線があってしまい、急いで逸らしたが遅かった。

「えいちゃん！　よかったあ、会えた！」

駆け寄ってきた楓に中村が目を丸くしている。楓はにこにこしながら彼女を見下ろした。

「初めまして、えいちゃんの従弟で楓っていいます。ここ、座っていいですか？」

「だめに決まってるだろ！」

「か、楓って、神奈木楓くん？　すごい！　本物だ……！」

遮ろうとする瑛介を完全に無視して、中村が何度も頷いた。

「も、もちろんどうぞ！　座ってください！」

「ありがとうございます。えいちゃんてば全然会ってくれないから、ぼくが来ちゃいました」

さっさと瑛介の隣に腰かけた楓が腕にしがみついてくる。さみしかったぁ、とわざとらしく甘えられ、瑛介は思いきり顔をしかめた。

「日曜に会っただろ。職場の近くまで押しかけてくるなんて、迷惑だ」

「ちょっと神奈木さん、ひどいですよ。そんな言い方しなくてもいいじゃないですか」

「そうそう、彼女の言うとおりだよー。日曜日はパパたちも一緒だったでしょ。ぼく、えいちゃんと二人で話したかったんだもん。あ、すみませんハーブティーください」

中村に加勢されて得意げな楓はオーダーまですませて、猫みたいにぺったりと瑛介にくっついてくる。

「花南くんとは会ってるのにぼくには会ってくれないなんて、ぼく愛されてなさすぎ。すっごく寂しかったんだから」

「ばっ……黙れって！」

出してはいけない名前に焦って中村を見ると、彼女はまんまるに目を見ひらいたまま、つくり笑いを浮かべて立ち上がった。

「先に戻ってますね！　神奈木さんと楓くんはごゆっくり」

「ちょ、中村さん……、あの」

「大丈夫です！　私誰にも、なーんにも言いませんから」

興奮で顔を赤くした中村はなぜか最高に嬉しそうで、ひとりで「きゃー」と悶えながらカフェを出ていく。瑛介はがっくりうなだれた。

「楓……なんで花南の名前まで出すんだよ。中村さんに誤解されたらどうするつもりなんだ」

あの一言で、瑛介の「恋人」が花南だとばれることはないだろうが、変に鋭い彼女に、花南とプライベートでも会う仲なのだと知られたのは痛い。ゴシップ記事を案じていたのも、仕事絡みではなく個人的なことだと思われただろう。

（もう別れようって思ってるのに、ややこしくなるじゃないか……）

ため息をつくと、楓はきょとんとした。

「誤解って？　えいちゃんと花南くん、恋人だから誤解じゃないでしょ」

「だから！　そういうプライベートなことをぺらぺら喋るなってことだよ。しかもおまえのことじゃなくて、花南のことだろう。迷惑がかかったらどうするんだ」

「えー、花南くんは怒ったりしないよ。そうやってえいちゃんがいやがるから自分では言えないんだと思うけど、本当はえいちゃんの会社の人とか、友達とかには言ってまわりたいんじゃないかなー。俺がえいちゃんの彼氏です！　って」

全然似てない物真似をした楓は、非難がましい目つきで瑛介を見てくる。

「ていうか、えいちゃんが隠したがってることのほうがぼくはやだな。えいちゃんは花南くんと恋人同士なの、恥ずかしいと思ってるの？　男同士だから？」

「……そういうわけじゃない」

恥ずかしいのは自分のＳｕｂ性だが、楓には言えない。ハーブティーが届けられ、店員が立ち去るのを待って、楓はカップを持ち上げた。

「今どき同性愛者だからってバッシングしたらそっちのほうが恥ずかしいんだから、えいちゃんも堂々としたらいいのに」

「……でも、花南は芸能人だろ。ファンの中には花南の恋愛自体がいやな人もいるはずだ」

「ファンだって、へたな女の人よりはえいちゃんのほうがいいと思うけどな」

お茶を一口飲んだ楓は真顔になって、瑛介の頬に触れた。

「それより大丈夫？　クマ作っちゃって……えいちゃんのことだから花南くんの記事で傷ついてるだろうなと思って、急いで来たんだよ。今花南くん、東京にいないでしょ」

案じる声音に、じりっと腹の底が熱くなった。目元に触れようとする楓の手を振り払う。

「楓に心配されるようなことはなにもないよ」

「でも、日曜日も具合悪そうだったじゃない。ぼく気になっててさ。今日だって、見るからに元気ないよ。花南くんと喧嘩したとかじゃないよね？」

「だから、心配しなくていいって言ってるだろ！」

知らず声が尖ってしまい、瑛介は唇を噛んだ。びっくりしている楓に向かって、言い訳のように並べたてる。

「体調管理は自分でできるし、花南のことは仕事に関係するから気になっただけだ。個人的に会ってはいたけど、恋人同士ってわけじゃない。楓が勝手に勘違いしてただけだよ」

楓はぽかんとした顔で聞いていたが、瑛介が口を閉ざすと「うわぁ」とひとりごとのような声で漏らした。

「ほんとに言ったぁ……」

「なんだよほんとにって」

「あっ、いや、本当はつきあってるくせにって思ってさ」

慌てたように笑みを浮かべて両手を振る楓を、瑛介は睨んだ。

「だからつきあってない」

「えいちゃん、花南くんのこと好きじゃないの？」

「——好きじゃないよ、もちろん」

お冷のグラスで表情を隠して言い、瑛介は席を立とうとしたが、楓がぐっと腕を摑んだ。

「じゃあ、ぼくが花南くんに告白してもいい？」

「……え？」

予想外すぎて、一瞬まともな言葉が出なかった。楓はたたみかけてくる。

「花南くんがえいちゃんのこと好きなのは知ってたし、二人がいい感じだったから、諦めなきゃと思ってたんだ。でもほんとはぼく、前から花南くんのことが好きだったの」

　大きな瞳を潤ませて、楓は両手で瑛介の手を握った。

「えいちゃんが花南くんのこと断ってくれたら、花南くんはフリーでしょ？　ぼくもチャンスがほしい。前から好きだったけど、ドラマの現場で一緒になって、もっと好きになってるの。こんなに長いあいだ、誰かのことを好きでいるのって初めてなんだ。週刊誌の記事だって……ぼく、苦しくて」

　耐えかねたように伏せられた睫毛は震えていた。頬はうっすら上気し、握りしめる手には力がこもっている。

「ひどいよね、あんなの。現場でもつきまとってる男がいて、花南くんは気にしなくていいって言ってたけど、あれ絶対週刊誌の記者か、お父さんが差し向けた人だと思う」

「……そんなやつがいたんだ？」

　ちくりと心臓に痛みが走った。一度も、花南から聞いたことがない。楓は俯いたまま頷く。

「その前は女の子がしつこく言い寄ってたよ。花南くんに迷惑かける人って制作会社のスタッフとして現場に来るから、たちが悪いの。お父さんの仕業だって、業界ではけっこう有名な話なんだ。花南くんが地方の事務所に所属していたときは、直接仕事を潰したこともあったみたい。それでも頑張ってきたのに、最近人気が上がってるせいか、またいやがらせが多くて……」

　楓は涙を拭う仕草を見せて顔を上げた。大きな目は赤く、それでもどきりとするほど綺麗だった。

「ああいうのって慣れたつもりでも傷つくものだから、支えてあげたいって思ってた。えいちゃんがつきあってないなら、ぼくが電話してもいいかなぁ？」

　胸の痛みがいっそう強くなって、瑛介はそれに気づかないふりをした。

　仕事上の悩みを、花南から聞いたことはほとんどない。父親とだって、そこまでこじれていたなんて知らなかった。だが、「言ってほしかった」となじるのは筋違いなのだろう。結局、花南にとって瑛介はその程度の相手だった、ということだ。

　一度は好きになってもらったけれど、「特別」にはなりきれなかった。

（——楓のほうが、僕より全然、花南のことを知ってるんだな。仲だってよくて……たぶん、信頼もされてる）

　こういう疎外感には慣れている。四歳のころから、一度だって主役になれたことのない人生なのだから。いつもどおりだ、と内心で言い聞かせ、平気なそぶりで瑛介は言った。

「楓が心配してあげたら、花南も嬉しいと思うよ」

　伝票を手にして立ち上がり、なるべく優しい声を作る。

「楓と花南ならお似合いだし、母さんたちも喜びそうだ。本気なら、ちゃんと頑張れよ」

年上らしく振る舞ったつもりだったが、楓の顔は見られなくて、そのまま背を向けた。目には楓の泣き顔が焼きついていて、あんな表情でも可愛いんだものな、と思う。

(楓に、かなうわけないよな)

本気で恋をしている楓を見るのは初めてだ。天真爛漫《てんしんらんまん》で気ままな楓でも、花南の心を知って黙っていたのなら、つらいときだってあったはずだ。それでも瑛介に対しては、あれだけ明るく振る舞っていたのだ。楓のことは苦手だが、ああいう気遣いが自然とできるのは長所だと思う。誰にでも好かれて当然だ。

耐えていても片想いでも、泣いても、少しもみっともなく見えず、愛らしい楓。

彼なら苦もなく、花南の「特別」になるのだろう。

花南から電話がかかってきたのは、その日の夜遅くだった。

『楓くんに、俺とはつきあってないし、好きでもないって言ったんですね』

硬い声は予想どおりだったから、瑛介は冷静に返した。

「言ったよ。だって本当のことだろう。僕がきみに好きだって言ったことある?」

『……ないかもしれないけど、でも、そんなの、言葉だけのことでしょう。俺の顔を見ても同じことが言えますか？』

「言えるよ、もちろん。グレアで脅されたりしなければね」

悲しそうに聞こえる声に嫌味っぽく言い返すと、花南は「だったら」と言った。

『ドア開けてください。瑛介さんの部屋の前にいるから』

「部屋って――おまえ、仕事は？」

日曜日まで帰ってこられないはずでは、と思いつつ、慌ててドアスコープを覗くと、外廊下には花南が本当に立っていた。

『仕事は切り上げてきました。ドアが開けられないなら、このまま話してもいいですか？』

「……ちょっと待って」

瑛介は仕方なくドアを開けた。

「電話している声って響くんだぞ。近所の人に聞かれたらどうするつもりなんだよ」

ただでさえあんな記事が出たばかりなのに、と睨みつけて、瑛介はぎょっとした。

「つきみ、その顔……どうしたの⁉」

左の口の端が赤黒くなっている。花南はスマートフォンをポケットにしまいながら、気にしていないそぶりでそこに触れた。

「ちょっと殴られただけです。そんなことより、どうしてつきあってないなんて、楓くんに言ったんですか」

むかっ、と瞬間的に腹が立った。人が真面目に心配してやったのに、「そんなこと」とはなんだ。

花南はいつもこうだ。瑛介の心配など、どうでもいいのだ。

「事実を言っただけだろ。僕とおまえは、せいぜいセフレってところで、恋人じゃない」

「俺は恋人だと思ってます」

「そう？　僕とするセックスにしか興味がないくせに？」

ぴしゃりと切り返すと、臆したように花南が黙り込んだ。拗ねたようにも見える表情に、グレアさえなければてんで子供だ、と瑛介は思う。たった四歳の違いでも、感じ方も考え方も、あまりにも隔たっている。

「僕は言ったはずだ、一方的なのは好きじゃないって。でも花南は、僕にプライベートなことを心配されるのもいやなんだろう？　弟のこともそうだったし、商売道具の顔を殴られても、なにがあったか僕に話す気がないんだ。撮影のときだって変な人につきまとわれたりとか……僕は知らないのに、楓は知ってる。そんなの、恋人同士じゃないどころか、ＤｏｍとＳｕｂの関係でもないだろ。信頼がないんだから」

「俺が話さないのは、本当にどうでもいいからです。瑛介さんだって、どうでもいい小さなことまで俺に話したりしないでしょう」

「心配されたり、聞かれたりすれば話すよ。でもおまえは言わない」

言ってから、みっともないな、と自分でいやになった。これでは言外に好きだと喚《わめ》いているみたいだ。未練があるわけじゃない、と内心で言い聞かせながら、瑛介は背を向けた。

「責める気はないけど、ただがっかりしたんだよ。好きだって言ったくせに、結局僕は蚊《か》帳《や》の外なんだなと思って」

「——瑛介さん、俺は」

「でもちょうどよかったよ」

なにか言いかけた花南を、瑛介は遮った。

「セックスも飽きてきたところだったし、お父さんのことみたいに、僕のことも記事になったらいやだからね。楓が花南を好きだって言ってたし、きみももっといい相手ができれば僕と会う必要もないだろ。僕は慣れてるから、気にしないでさっさと恋人を作ってよ」

「瑛介さん……飽きたとか、会う必要がないとか、本気で言ってます?」

後ろから、呆れたような花南の声が響く。瑛介は両手で二の腕をきつく掴んだ。

「もちろん本気だよ。何度も言うけど、僕はおまえのことなんか好きじゃない」

「俺は瑛介さんに言ったよね、王様になってって。あなたのために尽くしたいって。好きでもない人にあんなこと言わないよ。それをあなたは信じてくれないの?」

「僕を王様にする気なんかないくせに、適当なこと言うなよ。結局、おまえは都合のいいＳｕｂがほしいだけだろう？　飽きたら簡単に捨てられる相手がさ」

「瑛介さんがどうしてほしいか、おねだりしてくれたら、捨てたりしないよ」

そっと手のひらが肩に触れてきて、瑛介は身を捩って逃げた。

「いやだ。みっともなくすがれって言うのか？」

「好きな相手に気持ちを伝えるのって、みっともないことですか？」

「みっともないだろう。どうせ受け入れられないのに」

もっと僕を見て、と頼んで望みどおりになるなら、瑛介だって言えるかもしれない。でも、花南には通じないだろう。心配を鬱陶しがって、瑛介の望みはセックスだけだと思っているような男だ。

腕に指を食い込ませて自制心を保ちながら、瑛介は精いっぱいなにげない口ぶりで続けた。

「上がれば？　傷痛いだろう。手当てくらいはしてあげる」

「……そういうとこ、瑛介さんて優しいですよね」

花南はため息をついた。

「でも、帰ります。今顔を見たらグレアが暴走して、無理にでも抱いちゃいそうだから」

ずきん、と痛みが身体の芯を貫いた。

（……ほら。やっぱり、セックスしか興味ないんだ）

抱けば、Ｓｕｂは思いどおりになると思っているのだ。

やはりＤｏｍはだめだ。二度とつきあわないと誓いながら、目を閉じて花南が出ていく音を聞く。気配が完全になくなってからも数分立ち尽くして、ぐったりと壁にもたれかかった。

身体の中心には痛みが残っていて、疼きが熱のように響いていた。泣きたいときのかたちに口元が歪み、こらえようとして馬鹿らしくなって、瑛介は呟いた。

「……傅きたいって言ったくせに」

どうせ誰も聞いていない。少しくらいみっともなくても、言わずにはいられなかった。

「全部好きだって言ったくせに。すぐに飽きるなら口説かなきゃいいだろ。最初から、気がすむまでセックスしたいんだって素直に言えよ。だったらこっちだって……」

なぜ舞い上がったんだろう。思い返せば最初のバーでだって、たいして褒められたわけでもない。つたなくてありきたりで、うっかりときめいたのはたぶん顔が好みだったせいだ。セックスがよかったのは単純に身体の相性で、されたことは全然嬉しくなかった。コマンドとか淫らなおもちゃとか、本来なら殴ってでも受け入れられないのに、気持ちがいいような気がしたのは、花南に愛されていると浮かれていたからだ。

自分のように取り柄のない人間が、飽きられることもなく特別に愛されるだなんてあるわけないのに。

二か月も勘違いした結果がこれなのだ、と思うと悔しくて——ひどく惨めだった。


最初のゴシップ記事は中村の予想どおり、花南の仕事にはほとんど影響がないようだった。あとを追って公開された記事では、父親が過剰に花南を嫌うのはダイナミクスのせいではないか、とまで書かれていて、憶測を呼んでいた。

どちらがどのダイナミクスを保有しているのかは書かれてはいないものの、アウティングになりかねないぎりぎりの記事のせいで、世間の空気はむしろ花南に同情的でさえあった。裕福な家庭に生まれながらも愛情に恵まれず、つらい思いをしたが、俳優として努力してきた一途な青年、というイメージらしい。

ドラマの放映が近づくにつれ、花南本人の雑誌露出も増えた。一番最近のロングインタビューでは、役者に憧れたきっかけについて語られていて、週刊誌の記事を受けてだろう、「家族の絆《きずな》が強いとは言えない家だった」との発言も載っていた。

「私、前より花南くんのこと好きになっちゃいました」

インタビューの載った雑誌を胸に抱いて、中村がしみじみと呟く。

「花南くんて、ドラマでも映画でも写真でも、不思議と透明感があるじゃないですか。それって、ある種達観しているところがあるからなのかなって思ったら、今まで以上に綺麗に見えるんです。イケメンとか、そういうことじゃなくて、人間性の美しさっていうか」

うっとりと眺める先では、カメラテストのために佇《たたず》んでいる花南がいる。

十一月下旬、今日は広告撮影の日だ。

久しぶりに見る花南は少し痩せ、わずかに疲れが滲んでいるように見えたが、瑛介の気のせいかもしれなかった。スタッフと談笑する姿はリラックスしていて、表情は明るい。顔だけでなく、全身が光を振り撒くように美しく、神々しくさえあった。

「ダイナミクスも、花南くんが公表するなら、みんなあたたかく受け入れてくれると思うんだけどな……加藤部長だって公表してるけど、誰も気にしてませんよね」

中村はひとりごとのように呟く。瑛介はなにも言えずにメイク直しに入る花南から目を逸らし、中村の持っているのと同じ雑誌をひらいた。

昨日発売された雑誌のインタビューは、もう二回読んでしまっていた。清潔で、どこか憂いのある横顔の写真の下に、彼の思いが綴《つづ》られている。

『嘘だとわかっていても、誰もそれも指摘しない生活が当たり前だったんです。だからこそ、演技の世界に惹かれたのかもしれません。ドラマや舞台はいわば全部が嘘ですけど、その作品の中では真実ですよね。キャラクターとして作品世界にいるあいだは、信じていられる。愛情も喜びも、悲しみや怒りも、厳密には僕のものじゃないんですけど、リアルに感じられるのが心地よくて、それが演じる喜びなのかなと思います』

一言一言、花南の声が聞こえるようなインタビューだった。建前ではなく本音に感じられるのはライターの腕かもしれないが、瑛介には、花南が本気で話しているように思えた。ダイナミクスについては質問されていないのに、自分から「いつか、タイミングがきたら事実を伝えたい」とまで言っていて、誠実さと精神的な強さが伝わってくる。

（インタビューでなら、そういう話ができるんだな）

ファンに向けての言葉のつもりでも、記事になれば誰が読むともわからない。それでも本音が言えるのに、瑛介に対しては違ったのだ。同じことで何回も傷つくのは馬鹿らしいと思いつつ、いまだに瑛介はふっきれないでいた。

スタッフの声がかかり、撮影の本番がはじまった。ＣＧを合成するためのグリーンスクリーンの前に立つと、がらりと花南の空気が変わって、息をするのもためらわれるような美しさだった。離れていてもカメラを見据える目から溢れ出す煌めきが感じられ、素直に綺麗だと思う。造形が整っているから、空や花を美しいと思うのと同じように、花南にも美を感じるのだ。好きか嫌いかは関係なく、単純に惹きつけられる。

だからきっと、好かれていると思ったときも勘違いしたのだとは思う。その上Ｄｏｍなのだから、本能的に魅力を感じるのは仕方ない。

恋愛ではなかったのだ——そう言い聞かせても、相変わらず、ポーズを取る花南を見ていると、喉がつまるような苦しさを覚える。ほんのいっとき、自分のものかのように錯覚していた花南が、手の届かない相手なのだと突きつけられて、惨めな気持ちが蘇ってくる。スタジオ入りの挨拶の際にも、花南とは一度も視線があわなかった。瑛介は大勢いるスタッフのひとりに過ぎず、背景の置物にでもなったような気分だった。

（……だめだな。いつもより卑屈になってる）

誕生日に戻ってやり直せるなら、花南に声をかけられてもきっぱり断るのに、と思いながら、瑛介はにぶく痛む胃のあたりを押さえた。

思考が普段よりマイナスで、体調が優れないのは、昨日の夜の失敗のせいだ。

昨晩、久しぶりに相手を探しに出かけた。今日顔をあわせる花南に、弱ったところを見せたくなかった。めったに行かないゲイクラブの出会い系パーティに参加し、話が弾んだ相手はそれなりにハイスペックな男だった。年上で顔もスタイルもよく、余裕のある態度がおおらかで、最中に泣きますけど、と宣言しても可愛いよと言われ、悪い気はしなかった。会場にはＤｏｍもいたが、惹かれない相手ばかりだったから、彼でいいやと自分からホテルに誘ったけれど、結果はフランスで上司と寝たときと同じだった。

のしかかられてキスをされると、気分が悪くていらいらし、気持ちのいいはずの口の中を愛撫されても嫌悪感しか湧かなかった。我慢して触られているうちに耐えられないほど鬱陶しくなってきて、やっぱりやめます、と詫びた。上司と違い相手が怒らなかったのだけが幸いだが、気が変わったら連絡して、と渡された名刺はすぐに捨ててしまった。

　やっぱりＤｏｍが相手でないとだめなのかもしれない。次は妥協してでもＤｏｍを探さないとは思うが、正直、セックス自体が面倒だった。

　それくらい、具合が悪いのだ。だるいし、目眩はしょっちゅうで、食欲はない。頭痛と胃痛はしない日がないくらいだった。自炊をする気力だけでなく掃除も面倒で、部屋は荒れていた。

　今日は玉木のところに行って少しだけ愚痴を言いつつ、なにか食べさせてもらったほうがよさそうだ——などとぼんやり考えているうちに、撮影はつつがなく終わった。スタジオを出て、地下の駐車場で加藤や中村たちと一緒に挨拶をしていると、待機していた車のドアが開き、花南が笑顔を向けた。

「楓！」

　ぎくりとして振り返ると、楓が降りてくるところだった。ぱっと駆け寄ってきた楓は、はにかんだような笑みを浮かべて花南を見上げる。

「待ちきれなくて降りてきちゃった。お仕事お疲れ様」

「俺が乗るまであと少しなのに、一分も待てなかったの？」

笑みを返す花南も、蕩けるように優しい表情だ。さりげなく楓の肩に手を回す仕草は慣れていて、そうか、と瑛介は悟った。連絡を取らない一か月のあいだに、二人は無事につきあいはじめたのだ。

お邪魔してしまって申し訳ありません、と楓はこちらにも頭を下げたが、手はしっかりと花南とつないでいる。

「ランチ、一緒に食べる時間あるかなぁ」

「楽屋で食べよう。今日は帰りもあわせられるから、楓の好きな店に連れていってあげる」

花南が楓の髪に口づけて、瑛介の横で中村が「きゃあ」と小さな声をあげた。楓がいたずらっぽくウインクをよこす。

「まだ内緒にしといてくださいね」

「は、はい、もちろんです！」

両手を組んで何度も頷く中村に「ありがとうございます」と言った楓は、瑛介にもにっこりと微笑みかけた。

「えいちゃんもいろいろありがとう。ママたちには言わないでおいてね」

「――言わないよ」

ずきずきと胃のあたりが痛んで、瑛介は一歩後ろに下がった。

「それより、ほかの現場に来るなんて非常識なことしてたら、つきあってることも好意的には受け取ってもらえなくなるぞ。二人とも人気商売なんだ、ちゃんと気をつけろよ」

「うん、もうしません。昨日の夜花南くんのとこ泊まってて、このあとは同じ現場だから、一緒に車に乗せてもらってたんだ。心配かけてごめんね」

「すみませんでした。よく言っておきます」

花南にまで頭を下げられると、まるで自分が口うるさい小舅《こじゅうと》みたいに思える。二人は車に乗り込んでそのまま去っていき、中村がうっとりした顔で言った。

「花南くんと楓くんてつきあってるんですねえ。いろいろ納得です。楓くんと神奈木さんは従兄弟同士で仲がよくて、彼と花南くんが恋仲だから、神奈木さんは花南くんとも面識があったってことですよね？」

「……そうだね」

否定するのも面倒で頷くと、中村は身体をくねくねさせた。

「最高ですねえ！　花南くんと楓くん、並ぶと絵になるし、あんなふうに来ちゃうくらいラブラブだなんて、推せます！　あの感じだと、公表されるのも時間の問題っぽいですもんね」

天井をあおいだ中村は、そこで表情を改めて、幸せそうに笑って瑛介を見た。

「それに、よかったですよね。花南くん、つらい時期かもしれないけど、あんなふうに可愛い恋人がいるなら心強いですもん」

「――うん。よかったと、僕も思うよ」

ほかに応えようがなく言いながら、楓には話しているのだろうか、と思った。インタビューみたいに、胸の内や日々の些細《ささい》なことも、恋人になった楓に、花南は話すのだろうか。

(……僕は、なれなかった)

甘やかで穏やかな花南の笑顔を思い出し、瑛介は引く気配のない胸の痛みに、認めざるをえなかった。

誤魔化して嘘をついても、瑛介だって、できれば花南の恋人になりたかった。彼に好かれたままでいたかったから、ひと月経ってもまだ苦しいのだ。事実を直視すれば結局、自分が取るに足りない人間なのだと思い知らされるから、認めずにいられればよかったけれど。

世の中には「特別」な人間のほうが稀だ。三十を目前にしているのだから、自分が特別な何者かである、だなんて痛い希望は捨てるにかぎる。

花南のことはいい教訓だ、と思うことにして、午後の仕事を片づけ、瑛介は玉木のバーに向かった。飲んで区切りをつけて、すっきりしたかった。

開店してすぐのバーはほかに客はなく、心置きなく飲めそうだ、と思ったのだが、瑛介を一目見た玉木はあんぐり口を開けた。

「ちょっと瑛介、大丈夫なの？」

「なにが？　べつに普通だけど」

「それのどこが普通なのよ。痩せたし、ふらふらしてるし——風邪でもひいてるの？　眠れてないんじゃない？」

「いたって健康だし、ちゃんと寝てます」

　笑ってみせてカウンター席に腰かけ、いつものようにウイスキーを頼む。着ていたコートを脱ぐと、玉木は首を左右に振った。

「今日はお酒はやめときなさい。どうしてもっていうなら自家製サングリアをあっためてあげる。どうせ食欲もないんでしょうけど、スープ作ってあげるから待ってて」

　まずはこれを飲みなさい、と出されたのはホットミルクだった。完全な病人扱いに苦笑してしまったが、口をつけるとあたたかさと蜂蜜の甘さが染みて、きゅっと目の奥が熱くなった。思っていた以上に弱っているのだと実感して、努めて明るい声を作る。

「それよりさ、今日は相談に乗ってくれない？」

「いいわよ。あんたの頼みなら、いい人を紹介してあげる」

　手際よくネギを刻みつつ、玉木は真剣な顔だった。

「知ってるのよあたし。こないだの出会い系パーティに参加してたでしょ。しばらく恋愛はいいとか言ってたのに、相手を探しに行ってまた失敗したんでしょ？」

「……なんでパーティのこと知ってるの？」

「あたしの友達も参加してたのよ。色っぽい人がいると思って見たら瑛介だったんだって」

見られていたのか、と苦い気持ちになった。同性愛者が集うこの界隈はそれほど広くない。名前と顔だけ知っている他人、というのは大勢いる。瑛介は目立つタイプではないので、普段出入りしないクラブなら見られる心配もないと思っていたのだが、甘かったようだ。

「イケメンのおじさまにお持ち帰りされてたって聞いて、うまくいくといいなと思ってたのよ。でもその顔じゃ、うまくいってるわけないもの」

「その人のことはどうでもいいよ、もともと真剣に相手を探してたわけじゃないし。今日相談したいのは従弟のことなんだ」

ミルクの入ったカップを両手で包んで、瑛介はことさら微笑んでみせた。

「あいつ、とうとう恋人ができてさ。真面目におつきあいするみたいだから、お祝いしてあげようと思ってるんだ」

「——瑛介があんまり得意じゃないっていう、可愛い顔した従弟のことね」

玉木は鍋を火にかけながら、カウンター越しに憐《あわ》れむような視線をよこした。

「あんた、自分の恋がうまくいってなくて、そんなぼろぼろの顔してるくせに、好きでもない従弟の恋路を祝福する気なの？」

「だって、いい相手が見つかるっておめでたいことでしょう。それに恋人ができたら、僕にしつこく絡むこともないと思うから、大歓迎だ。なにかお揃いのアクセサリーでも贈るのはどうかなと思ってるんだけど」

「瑛介がどうしてもプレゼントしたいならとめないけど、普通そんなことしないわよ」

　玉木はしかめっつらだった。

「考えてもみて？　あたしが大恋愛したとして、彼氏をあんたに紹介したら、お揃いのペンダントとか買う？」

「先輩がほしいなら買うよ」

「あら、従弟がほしいって言ったの？」

「……言ってないけど」

「だったら、おめでとうって言うだけでいいんじゃない？　それより自分のことを大事にしなさいよ。ひっかけた男がとんでもない変態だったとかなら、さっさと忘れて次を探しなさい。余計なお節介って好きじゃないけど、瑛介にだったら知り合いを紹介してあげる。ひとり、彼ならよさそうって人がいるの」

　鍋に調味料と溶き卵を入れながら、玉木がいつになく優しい顔をした。

「たまには頼ってくれていいのよ？　瑛介って根っこはいい子なんだもの、愛されて幸せになるべきよ」

「――ありがとう」

気遣いに溢れる玉木の言葉が嬉しくて、それもいいかもな、と思えた。自分で探すのではなく、お見合いみたいに紹介で出会って、ゆっくり関係を育《はぐく》むというのは試したことがない。玉木の知り合いはきっとニュートラルだろうが、心を許せるような穏やかな間柄になれれば、体調不良も多少はましになるだろう。

今すぐＤｏｍの相手と向きあうのは気が進まなかった。花南としたような命じられて従うセックスをしたいとは思えないし、相手にまた飽きられる不安を思うと、それだけで憂鬱になる。体調はなんとかコントロールしつつ、ニュートラルと恋愛関係になるのが一番いいように思えた。

その人と会ってみようかな、と言おうとしたとき、スマートフォンが震えた。表示された楓の名前に腰を浮かせると、玉木は「いいわよ」と言った。

「ほかにお客さんもいないから、ここで出て。今夜は冷えるもの」

さりげなく距離を取ってくれた彼に感謝しつつ、通話マークをタップすると、楓はらしくもなく、控えめな調子だった。

『えいちゃん、体調は大丈夫？』

「……楓にまで心配されると自分でも不安になりそうだよ。平気だってば。そっちこそ、珍しくテンションが低いみたいだけど」

『昼間見たとき、えいちゃんが具合悪そうだったから、ずっと気になってたんだ。ねえ、やっぱり……』

言いにくそうに楓は口ごもってから、おそるおそる、という感じで聞いた。

『えいちゃん、花南くんのこと好きだよね？』

どうやら、瑛介が具合が悪いのは花南を楓に取られたせいだ、とでも思っているらしい。瑛介はわざと大きくため息をついてみせた。

「馬鹿言うなよ。全然好きじゃないよ」

『ぼく、素直になったほうがいいと思う』

「だから好きじゃないって。今はおまえがつきあってるんだから、変な勘違いしてないで楽しく過ごせばいいだろう。今日だって、二人とも浮かれていちゃいちゃしてたくせに」

『あれは花南くんが……』

言いかけて楓は黙り込む。自分の仕事現場についてきて待つように、と花南が言ったのかと思うと、瑛介は苦々しい気持ちになった。公私混同するタイプだったなんてがっかりだ。

「どっちが言い出したことでもいいけど、ほどほどにしておけよ。それと、親には早めに言ったほうがいい」

『えいちゃんは、それでほんとにいいの？』

意外なほどしつこく、楓は食い下がってくる。違うと言っているのに、瑛介があとから奪い取るとでも思っているのだろうか。あるいは、花南の心変わりが怖いのかもしれない。きっとそれだけ好きなのだろうと納得して、努めて声をやわらげた。

「僕は全然かまわない。ちょうど考えてたんだ、せっかく楓に本気の恋人ができたなら、なにかお祝いをしたほうがいいなって。未練があるならそんなこと考えないだろ？」

『そうかもしれないけど……』

楓は弱々しい声で呟いたあと、小さな声で「じゃあ」と言った。

『一緒に食事しない？　花南くんとぼくと……正式におつきあいはじめた報告も兼ねて』

昼間見た花南の腕にしがみつく楓を思い出し、反射的に行きたくない、と思ったが、瑛介はすぐに頷いた。

「もちろんだよ。いつがいい？　二人のほうが忙しいだろうから、僕があわせるよ」

『来週の金曜日は？　その日なら、ぼくたちもゆっくりできるんだ』

「大丈夫だよ。場所が決まったらまた教えてくれ。ああ、それとも僕が予約しようか。いいレストランを知ってるから、奢るよ」

『予約は花南くんがするって。――ごめんね、えいちゃん』

しおらしい声で謝られて、くっと喉の奥がつまった。浮かれてはしゃがれるより、謝られるほうがずっと惨めだ。まるで、瑛介が「特別」になれずに負けてしまい、奪った本人に憐れまれているみたいで。

「――食事、楽しみにしてる」

かろうじてそれだけ言って通話を切ると、じくじくと胸が痛んだ。三人で食事をするというのも花南の案だろうか。思っていた以上に性格が悪いじゃないか、と瑛介は思う。いっときでも関係のあったＳｕｂを呼びつけて、新しいパートナーとの仲を見せつけるのだ。

（早めにやめておいて正解だったってことだよな）

手元のグラスの中身を飲み干そうとして、ホットミルクなことに気づき、瑛介は玉木に笑顔を向けた。射抜かれたように痛む心臓を、少しでも忘れたかった。

「ごめん先輩。やっぱりアルコールがいいや」

「今用意するわね。でも、スープを飲んでからにして」

気遣わしげな表情で瑛介の前に戻ってきた玉木は、スープを器によそいながら、ちらりとこちらを一瞥した。

「あたしの知り合いを紹介するのはいつでもいいけど、本当は好きな人がいるんじゃないの？」

「――いないよ」

「あたしに本音を言ってくれなくてもいいけど、意地ばっかり張って素直にならないと一生後悔するかもしれないわよ」

諭す口調に、なれるものなら、と瑛介は思う。素直になれるなら、もっと違う人生を送っていたはずだ。それに、素直になったところで、花南とのことはもう遅い。

スープの器とウイスキーのグラスを受け取って、瑛介は震える唇を俯いて隠した。

「先輩が紹介してくれる人には素直になるよ。会うの、来週とかどうだろう」

本音では、誰にも会いたくなかった。けれど正直に言えばそれこそ負けを認める気がして、努力して顔を上げて微笑む。

「久しぶりに恋人ができそうで嬉しいよ」

そう言って勢いよくスープを食べ、ハーフロックのウイスキーを流し込む。二杯目を飲むあいだは仕事が順調なことを嬉しげに語って、あとから入ってきた客には一杯ずつカクテルを奢った。いつになく陽気に振る舞えばちゃんと楽しい気持ちになれて、ほら大丈夫だ、と瑛介は満足した。

花南には未練なんかない。いやなやつだし、傲慢だし、Ｄｏｍだ。セックスにしか興味がなくて言葉には重みのない若造に、一瞬でもときめいた自分が愚かだったのだから――明日からはもっと賢く振る舞うのだ。きっと玉木の知り合いのほうがいい男で、包容力もあって、いい恋ができるだろう。

　十二月になると街は一気にクリスマスモードで、レストランの窓から見下ろす夜景も、ホリデーシーズンらしい光で満たされていた。いかにもデート向きの雰囲気のある店内で、景色が眺められる向きの席に腰を下ろしながら、瑛介は笑みを引きつらせた。

　ハイネックにジャケットでドレスアップした花南が笑顔なのはいい。けれど、その隣の楓は大きく襟ぐりのあいたニット姿で、細い首にはぴったりした首輪がつけられていた。それだけでも言いたいことが込み上げてくるというのに、瑛介の隣の席にはなぜか、知らない男が座っていた。三十代半ばだろうか、がっしりとした体躯《たいく》で黒いスーツが似合うが、派手な紫のシャツや、ラテン系の濃い眉、脂っぽい肌がどこか押しつけがましい印象で、瑛介は好きになれなかった。

「どうも初めまして。戸羽《とば》といいます」

　手を差し出され、瑛介は無視するわけにもいかずにかるく握った。

「神奈木です」

「楓くんの従兄なんだって？　あんまり似てないけど……」

　戸羽は瑛介の手を握ったまま、耳に顔を近づけた。

「きみのほうがずっと色っぽいね。私の好みだ」

「——！」

生あたたかい息と囁きとともにグレアが感じられ、Ｄｏｍだと気づいた瑛介は摑まれた手を振りほどいた。汗がついた手のひらをナプキンで拭く。どういうつもりかと視線を向ければ、花南は淡く微笑みを浮かべて言った。

「久しぶりです、瑛介さん。今日は瑛介さんのために、戸羽さんにも来てもらったんです」

「——僕は、きみと楓の交際祝いのつもりで来たんだけどね。こういう騙《だま》すみたいな真似は好きじゃない」

睨みつけても、花南は平然としていた。

「俺も、最初はつきあってることを報告するだけのつもりだったんですけど、瑛介さんが相手を探してるって玉木さんから聞いたから、協力したいと思ったんです。出会い系のパーティ、参加したんですよね？　でもいい相手がいなくて、玉木さんの知り合いを紹介してもらうんでしょう？」

「そっちは断ったらどうかな。私のほうがきっといい男だ」

冗談めかして戸羽が口を挟んでくる。弱くだがグレアはずっと発散されていて、彼は瑛介の首筋から胸、股間に向けて、ねっとりとした視線を這わせた。

「私はきみが一目で気に入ったよ、瑛介くん。相性もよさそうだ」

「初対面でまだ話もしていないのに、相性がわかるだなんてすごいですね」

嫌味たっぷりに言っても、戸羽には通じないようだった。きみよりずっと大人だからね、などと得意げに膝に手を置かれ、殴り飛ばしてやろうか、と瑛介は思う。だが、拳を握りしめると、楓が恥ずかしそうに口をひらいた。

「戸羽さんとえいちゃんが結ばれたらぼくも嬉しいな。えいちゃんには幸せになってほしいもの」

頬を赤らめ、細い指先で首輪をいじりながら、楓は瑛介を見つめる。

「ぼく、えいちゃんには大事にしてくれる人が似合うと思うんだ。いじめたり、あくどいことしたりしない人」

「楓、戸羽さんに釘《くぎ》をさしてるの？」

花南がにこやかに楓の肩に手を回した。「あまり失礼なことを言うものじゃないよ。俺の躾が悪いと思われる」

「……うん。ごめんね」

楓が困ったように目を伏せるのを見ると、瑛介はもやもやした気分になった。目の前でいちゃつかれるのは覚悟して来た。だが、この仕打ちはあんまりだ。楓と恋人になったのだから、花南が自分のダイナミクスを教えたのは当然として、ニュートラルの楓に首輪をつけ、頼んでもいないのにＤｏｍを同席させるだなんて。

　シャンパンが運ばれてきて、瑛介はグラスを受け取るのを拒否して花南を見据えた。

「楓はＳｕｂじゃない。僕の従弟なんだ、所有物みたいに扱うのはやめてくれるかな。無理強いする気なら、悪いけどきみたちの交際を祝福はできないよ」

「もちろん、無理強いはしてません。俺は相手に尽くすタイプだって、瑛介さんはよく知っていますよね？」

　花南は挑発するような笑みを浮かべて、かるく顎を上げた。

「一度好きになった相手を嫌いになったりもしません。瑛介さんが新しい恋人がほしいみたいだから、こうして戸羽さんも用意したんです。ここのホテルに部屋も取ってありますから、食事のあとに試してみたら？　寝てみれば、瑛介さんも納得できますよ」

「私は大歓迎だ。優しくしてあげよう……いや、瑛介くんはお仕置きのほうが好きかな？」

　茶々を入れるみたいに戸羽が浮かれた声を挟み、瑛介はいらいらしてしつこい手を膝から払い落とした。暗にダイナミクスを匂わせるような発言も気に食わない。だが、戸羽は「照れているのかい？」とにやけた。

「プライドが高そうなところも好みだよ。ゆっくり歩み寄ろうじゃないか」

「も、もちろんえいちゃんがいやならやめておいていいよ！　ぼく、こういうのちょっとどうかと思うし」

助け舟のつもりか、楓が慌てたように腰を浮かせた。

「エッチは本当に好きな人としたほうがいいもん。えいちゃんはもっと自分を大事にして」

真剣に案じるような楓の顔が、一番いらいらした。

（僕はおまえにも同情されなきゃならないような立場なのか？　自分は片想いが実ったからって、わざとらしく心配なんかしてくれなくていい——僕は、傷ついたりしてない）

面と向かってそう言いたい気持ちをぐっとこらえ、瑛介は置かれたグラスを取って一気にシャンパンを飲み干した。乾杯なんか知るか、と思いながらグラスを置き、唇を拭う。

「楓に心配されなくても、大人だからこういうことは慣れてる」

「……えいちゃん」

「せっかくお膳立てしてもらったのを断るほど野暮でもないよ。戸羽さん、食事が終わったら楽しみにしてますね」

取材を受けるときのように感じよく戸羽に笑いかけ、その笑顔のまま花南にも言った。

「花南くんもよかったね、楓みたいに可愛い恋人ができて。おめでとう。心から祝福するから、末長くつきあって」

「ありがとうございます、瑛介さん」

花南もそつのない態度で礼を言い、戸羽が耳障りな拍手をした。いやあめでたいねえ、と声を張り上げた彼が乾杯の音頭をとり、瑛介以外の三人でグラスをあわせた。

　運ばれてくる料理を食べながら、よく喋ったのは戸羽だった。花南とは彼が地元にいるときからのつきあいで、戸羽はとある会社のＣＥＯなのだという。父親とも懇意だと自慢げで、瑛介は冷めた気分になった。花南が戸羽を選んだのはＤｏｍだからだろう。芸能界ならもっとましなＤｏｍが見つかりそうなものだが、あえて仲の悪い父親の知り合いを連れてきたのは、いやがらせなのか、単に間に合わせだからか。いずれにしても、本気で瑛介のためを思って連れてきた相手でないのは明らかだった。

　そこまで僕が嫌いか、と苛立ちながら料理を口にして、途中で、「お仕置き」のつもりかもしれないと気がついた。つきあっていないし好きでもないと楓に言ったのを、根に持っているのかもしれない。

（そっちが先に飽きたくせに、おまえに僕をお仕置きする権利なんかないんだぞ）

　常に楓のほうに注意を向け、こまやかに世話を焼いている花南を見ると、怒りともやるせなさともつかない感情が湧いてくる。

　こうなったら、意地でも戸羽と寝てやりたい。セックスして、花南とよりずっとよかったと自慢してから、戸羽のこともこっぴどく振ってやる。

　二度とＤｏｍの相手なんかするか、と思いながら愛想よく戸羽の話に相槌をうち、デザートが終わるとさっさと立ち上がった。誘う手つきで戸羽の肩に手をすべらせる。

「さっそく行きましょうか、戸羽さん」

ああ、とにやけて戸羽が立つと、花南も立ち上がった。

「俺たちも行こう。おいで、楓」

「花南くんたちは遠慮しないで、ゆっくりしていきなよ」

わざと戸羽と腕を組んでみせると、花南は首を横に振った。

「そういうわけにはいきませんよ。ちゃんと見届けないと」

「見届ける？」

「はい。瑛介さんが戸羽さんとセックスするとこ、確認しなくちゃだめでしょう？」

さも当然というように花南は言い、楓の腰を抱き寄せた。

「ついでに、俺たちのプレイも見せてあげます。瑛介さんの大事な楓くんを、俺がどんなふうに扱うか気になるでしょうから」

「いいねえ。四人でなんて、燃えるよ」

戸羽が鼻の下を伸ばしてちらちらと楓と瑛介を見比べる。瑛介は怒りのあまり震えそうな拳を握りしめた。——やはり、これはお仕置きのつもりに違いない。同じ部屋でセックスしたら、楓にも瑛介がＳｕｂだとばれるだけでなく、どんな恥ずかしい反応をするのかも知られてしまう。

瑛介をじっと見つめた花南は、アースアイを思わせぶりに細めた。

「それとも、いやですか？　瑛介さんがやめてって頼むなら、中止にしてもいいんですよ」

「――僕は全然、気にしないよ」

ほとんど反射的に、瑛介は言い返した。絶対に負けるものか、という決意を込めて、花南に向けてつんと顎を上げる。たとえ楓にダイナミクスを知られても――否、知られてしまうならなおのこと、花南に屈する態度は見せられない。

「おまえに頼むことなんかこの先一生、ただの一個もないね。行きましょう、戸羽さん」

自ら先頭に立ってレストランを出る。部屋は今回もスイートルームで、瑛介は寝室に入ると、手前のベッドに戸羽を押し倒した。

「シャワーは浴びなくていいですよね。あなたもすぐしたいでしょう？」

スーツのジャケットを剝ぎ取る瑛介に、戸羽がにやにやした。もちろんだよ、などと言いながら腰に手を添えられてぞっとしたが、後ろを通る花南たちを意識して、好きに触らせる。奥のベッドの横で、花南が楓の頭を撫でるのが、視界の隅に映った。

「俺たちもはじめようか。跪いて？」

ざっと背中を冷たいものが走り抜けた。一瞬気持ちが萎えかけ、逃げたい衝動にかられる。見たくない。花南が楓を愛するところなんて――瑛介にしたみたいに、甘く追いつめるのを見せられたくない。

浮かんできそうな涙を意地でこらえ、乱暴にシャツのボタンを外すと、戸羽が手首を掴んだ。

「悪い子だなあ瑛介くんは。コマンドを聞いてからじゃなくちゃだめじゃないか」

「――ではどうぞ、なんでも命令してください」

戸羽のグレアは粘つくようだ。熱は感じるが、それが不快でつい顔が歪む。戸羽はもったいつけて頬を撫でた。

「私の服を脱がせるのもいいが、まずは瑛介くんが裸になりなさい」

吐き気とともに拒否感が込み上げる。同じＤｏｍでもこれほどグレアが違うのか、と思いながら、瑛介はベッドを下りて服を脱いだ。ちらりと盗み見れば、花南はベッドに腰かけ、自分の前に膝をついた楓に手を差し出していた。

「キスして」

寝室が広いせいか、花南のグレアは感じない。それでもぐらりと身体が動きそうになり、瑛介は全裸で戸羽を睨み据えた。

（惨めじゃない。僕は、負けたりしてない）

「脱ぎました。次のコマンドは？」

「もちろん、跪くんだ。……瑛介くんは肌が綺麗だねえ。ちんこの色もいい。あそこの孔もさぞ綺麗な色なんだろうね」

好色な表情で眺め回され、花南さえいなければこんなやつとは口もきかないのに、と思いながら跪いた。戸羽に見られても羞恥はいっさいなく、服従したい欲もめばえず、彼を軽蔑する気持ちにしかなれなかった。グレアは戸羽の器の小ささをはっきり表していて、まったく高揚しないのだ。

冷ややかに視線を上げると、戸羽は余計に興奮したのか、鼻の穴を膨らませた。

「いいねえ、この澄ました顔がとても好みだ。きみは感じると泣くんだってね」

「……花南から聞いたんですか？」

「ああ。フェラさせられるのも好きだって聞いてるよ。会ったら納得したよ……瑛介くんの唇、いやらしいかたちだもんな」

親指が無遠慮に唇に触れてくる。しゃぶってごらん、と荒い息まじりに言われ、瑛介はいやいや口をひらいた。馬鹿みたいだ、とちらりと思う。負けたくなくて、こんなくだらない男と寝ようとするなんて、あとできっと後悔する。けれど振り払って逃げれば惨めで寂しい思いをするのはわかりきっていて、そのほうが後悔よりもいやだった。

（好きじゃない。花南なんか、もうどうでもいい）

汗ばんだ戸羽の指は生ぐさく、舌をいじられると鳥肌が立ってくる。えずきそうになり、ん、と喉を鳴らすと、目の前の股間が大きく盛り上がった。

「もっと声を出すんだ。好きなように指をしゃぶって、喘げ」

にゅぷ、と今度は人差し指と中指を入れられ、ぞりぞり舌をこすられる。まずさと苦しさに眉根を寄せた瑛介に、戸羽はますます股間を膨らませた。

「苦しそうな顔が色っぽいね。喉までつっこんでやりたくなるな……よだれもいっぱいだ」

唾液が溢れてくるのはまずすぎるせいだ。普段は異物が口の中に入ってくれれば、いやでも感じてしまうはずが、戸羽の指でかき回されても嫌悪感しかない。だが、大きな戸羽の身体越し、花南が楓の髪に口づけるのが見え、ずんと腹の奥が重たくなった。

あの唇の温度なら知っている。

「……っん、う」

(……キス――、され、たい)

あたたかい、あやして慈しむ口づけを、されたい。

「お、ここが気持ちいいのかな？　目が潤んできたな」

戸羽がはあはあしながら笑った。淫乱だねえ瑛介くんは、などと言いながら、胸にも触れてくる。

「乳首も硬くなってる。ピンク色で可愛いね」

「――ッ、ぅ、……っ」

きつく乳首をつねり上げられ、痛みでびくりと身体が強張った。ふーっ、と息を吐く戸羽は血走った目をしている。脳裏に蘇る甘やかな記憶と、目の前の景色とが噛みあわず、胸の内側がひび割れていくようだった。

（……なんで、こんな思いをしなくちゃならないんだ）

「やっぱり痛いのも好きかい？　実は俺も痛めつけるのが好きでね。つっこんだらケツをいやってほど叩いてやるよ」

　戸羽の口調がいつのまにか乱れている。瑛介の口から指を引き抜くと、唾液まみれのそれを得意げに広げた。

「こんなにべたべたになるまで舐めて、大喜びだな？　従順にできたご褒美に、俺が一番好きなことをしてやろう」

　言うなり、すばやく両手が伸びた。

「ッ、――ぐ、……ぅッ」

　喉に指がかかって絞め上げられ、圧痛で息ができなくなる。顔が充血するのがわかり、瑛介は戸羽の腕を叩いた。苦痛に歪む瑛介の顔を見下ろし、戸羽は舌なめずりした。

「ほぅら、気持ちいいだろう？　真っ赤になって、エロい顔だ」

「――っ、……ッ！」

「遠慮しないで泣け。泣いたら口に俺のをつっこんでやるからな」

　冗談じゃない、と言うこともできなかった。痛みと苦しさで視界が暗くなり、意図せず身体が震えてしまう。ふざけんな、と反射的に感じた怒りは、苦痛のせいですぐに霧散し、かわりに焦りが湧いてきた。

　がっちりと食い込んだ指は、ひき剝がそうとしてもびくともしない。喉の奥でくぷくぷと行き場のない呼気が音をたて、焦りと混乱と生理的な反応で涙が滲んでくる。

「いいぞ……っ、そら、泣くんだ……っ」

　もがいても、手足から力が抜けていく。歪んだ口の端からよだれが流れ、つき出た舌が震えた。

（死……ん、じゃう……く、るし……）

　こんな男のせいで死ぬのか、とぼんやり思う。抗う力は残っておらず、だらりと両腕が下がる。

（死ぬなら、花南に言えばよかったな。捨てないでって……セックスだけでもいいって）

　泣けばよかった、と考えたとき、ふっと首にかかっていた圧がなくなった。

　ぜえっと鳴る首を押さえながら前のめりになり、まばたきをして初めて、視界がほとんど真っ暗になっていたのだと気づく。ぼやけて見える戸羽のほうから、声が聞こえた。

「やっぱりだめだ」

　どうしてか花南の声に似ていて、顔を上げる。戸羽は左腕を捻り上げられていて、彼の腕を掴んでいるのは花南だった。悲しげな顔つきの花南の手を振りほどき、戸羽は憤然と声を荒らげた。

「だめってなんだ。俺の好きに抱いていいって言ったろ！」

「言ったけど、とめに入らないとは言ってないよ」

花南はため息をつきながらかがみ込んだ。瑛介のそばに膝をつき、労るように肩を抱く。

瑛介はぼうっと彼を見つめた。

「大丈夫？　立てる？　気持ち悪くないですか？」

「……立てる、けど」

どうして、と声が出かかった。花南はしょげたようにも、拗ねたようにも見える表情だった。冷や汗で張りついてしまった前髪を、そっと払いのけてくれる。

――全然、意味がわからない。

楓はといえば、スマホを片手に、呆れたような表情で向こうのベッドに腰かけている。

戸羽はひとり焦った様子で立ち上がった。

「な、なあ、もし気を悪くしたなら謝る。あんまりいいＳｕｂだから興奮しちまってさ」

「興奮したから、セーフワードも言えないくらい首を絞めたの？　そもそも、セーフワード自体決めてなかったし、危険を伴うプレイは事前に確認をするのがルールだろう」

瑛介が立ち上がるのを手助けしながら、花南がじろりと戸羽を見やった。

「だからスイッチはいやなんだ」

突き放すような低い声に、戸羽がびくんと竦んだ。熱いほどのグレアが花南から放たれ、みるまに戸羽の表情が青ざめていく。

「あげくにあんたは物覚えが悪いみたいだ。俺は最初に言ったよね。これはご褒美じゃない、あんたはただの道具だから勘違いしないでって」

「で、でも、言うとおりにしたろ。ちゃんとＤｏｍとしてグレアだって出した」

「グレアだけ出せばいいわけじゃないよ。そんなんだから、使おうと思ったＳｕｂひとりもコントロールできないんだ」

侮蔑するような花南の声と眼差しに、戸羽は震える手を差し出した。

「そんな……ご褒美くれたっていいだろう？　あんたの父親にバレる危険を冒して週刊誌にだって喋った」

ふらふらと近づいて膝をついた戸羽は、もはやＤｏｍではなかった。許しを乞うつもりなのだろう、花南の脚にすがりつく。それを、花南は振り払うように蹴飛ばした。

「あれはプレイじゃなくて、罪滅ぼしをさせてやっただけだ。五年前も、最近の小細工も、やってて自分で馬鹿馬鹿しくならないの？」

無様に床に転がり、戸羽が肩を震わせるのを、瑛介は抱き寄せられたまま見つめた。黙っていれば恵まれた体軀と造作で、それなりにもてるだろう戸羽が、卑屈な男に見える。

彼は床に爪を立てると、歪んだ顔で喚いた。

「おまえこそ、Ｓｕｂひとりまともにモノにできないくせに！　ちょっと売れたからっていい気になってるんだろうが、所詮は地元を逃げ出した負け犬だ。そのうち後悔するぞ、いっそあのとき、おとなしく殺されておけばよかったってな！　――おまえも、」

口から唾を飛ばし、戸羽は瑛介を指さした。

「抱かれるならもっとマシなＤｏｍにしろよ。どうせ満足させてもらってないんだろ？　今ならまだ遅くない、花南の父親を紹介してやってもいい。花南なんか、父親になにをされても反撃もできない腰抜けだからな」

嘲笑まじりの戸羽の言葉を聞いていると、ひどくやるせなかった。どうやら戸羽は、瑛介よりも事情を把握しているようだ。花南と父親の確執も、昔あったことも――瑛介はほとんど知らないというのに。

情けなくて卑屈そうな男のほうが花南について詳しい、という事実がせつない。

（……そんなに、僕は花南にとって、取るに足りない存在だったんだな）

黙ってじっと見つめる瑛介の表情をどう勘違いしたのか、戸羽はごくりと喉を鳴らすと、這いつくばったまま近づいてこようとした。

「それとも、俺が抱いてやろうか？　さっきよかったろ。二人で場所を変えて、しっかり抱かれたいならそれでも――」

「もう放り出そうよ、こいつ」

ずっと沈黙を守っていた楓が、ひどくつまらなそうに戸羽の声を遮った。手にしたスマートフォンを振ってみせる。

「確認したけど、同意もなしにえいちゃんの首を絞めるとこ、ばっちり動画に撮れてたよ。セーフワードも言えない状態だし、立派な暴行罪。五年前のこともあるし、こないだのスタッフにいやがらせさせたこともあわせて、警察に突き出しちゃえば？」

「け、警察は困る！」

戸羽は慌てて楓を振り返り、スマートフォンを奪おうと立ち上がりかけた。だが、花南のほうが速かった。

「動くな！」

どん、とグレアが打ち出されたように感じて、瑛介まで身体が動かなくなる。戸羽は半端な格好で固まり、だらだらと汗を流した。ニュートラルの楓までが気圧《けお》されたように花南を見上げている。しんと静まり返った室内に、花南はきっぱりした声を響かせた。

「出ていって、二度と俺の前には現れないで。もし次に余計なことをすれば——わかるね？」

冷たいだけでなく、闇のように暗く恐ろしい声だった。

ひい、と戸羽が悲鳴を漏らすのを見ながら、頭の片隅で「悪魔の役も似合いそうだな」と瑛介は思う。現実逃避でもしていないと気が遠くなりそうだった。自分に向けた命令ではないのに、身体が竦んで身じろぎすらできない。戸羽はぎこちなく頷くと身体の向きを変え、よろめきながら部屋を出ていった。

ドアが閉まる音が響き、花南が気遣わしげに顔を覗き込んでくると、やっと呪縛が解けた。

「瑛介さん、大丈夫？　首、跡がついちゃったね」

「――平気だ。それより……」

改めて、楓と花南を見比べる。自分だけ裸なことを思い出して散らばった服に手を伸ばすと、花南が自分のジャケットを羽織らせてくれた。

「座って。なにか飲む？」

ベッドに隣りあって座らされ、瑛介は首を横に振った。圧倒的なグレアでいったん消し飛んでいたやるせなさが蘇り、寒々しい気分だった。

「いらない。……僕は帰る。二人は残って好きに楽しめば」

同意もなく首を絞めるような、人間としても最低な男をあてがわれたあげく、みかねて助けられたのだ。きっと、弟みたいに激しく嫌うだけの価値も、瑛介にはないのだ。

どれだけ、自分は花南にとって、意味のない存在なんだろう。そう思うと、いっそあのまま首を絞められて死んでもよかった気さえする。少しは花南だって罪悪感を感じてくれただろう――と考えて、瑛介は笑い出したい気分で顔を押さえた。

こんなかたちで思い知りたくなかった。

なんでもいいから爪痕を残したいほど、瑛介にとって花南は特別なのだ。

ずっと、好きでいてもらいたかった。

楓は戸羽が瑛介のＳｕｂ性を暴露しても驚かなかった。以前から気づいていたのかもしれないが、恥ずかしいはずの事実も、今となってはどうでもいいように思える。

泣きたい気持ちを振り払い、瑛介はのろのろと楓に目を向けた。

「楓は、幸せになれるといいね」

楓は顔をしかめて深々とため息をつき、椅子を引っぱってくると、背もたれをまたいで座って、腕を組んだ上に顎を乗せた。花南をちらりと見る仕草は猫みたいだった。

「ぼく、えいちゃんにはちゃんと言ったほうがいいと思うな。見た感じ、全然伝わってないもの」

「そうだよね。――なにから言ったらいいかな」

花南はしおらしく俯く。しばらく考え込んだあと、瑛介さん、と真面目な声で言った。

「順番に説明するから、最後までちゃんと聞いてくれる？」

今さら、聞きたいとは思わなかった。だが花南に至近距離から見つめられ、楓に「聞くよね？」と有無を言わさない口調で圧をかけられると、いやだと頑《かたく》なに主張するだけの気概もなく、頷いた。

「ありがとう。まずは戸羽のことからにするね。仮にも瑛介さんの相手をさせるんだから、もっといいＤｏｍを探してもよかったんだけど……瑛介さんがうっかり好きになったら困るから、いかにもだめなスイッチにしたんだ。戸羽なら厄介払いもできて一石二鳥かなって。あいつ、親父の取り巻きだから」

　地元にはいっぱいいるんだ、と花南は言った。名士で顔がきく花南の父親は権力志向が強く、特権的な振る舞いを好む。自分のために便宜をはかったり雑用をこなす人間をはべらせ、彼らの軽犯罪を揉み消したり、逆に犯罪行為を命じてやらせたりしてきたのだという。

「たとえば賄賂とか、談合とか、女性関係とか……古い枠組みの中で生きてる人なんだ。だから、俺の芸能界入りに反対したときも、自分で手を回すだけじゃなく、危ないことは人を使った。それが戸羽だったんだよ」

「危ないことって……きみが薬を飲まされて、車に轢かれかけたときのこと？」

「そう。戸羽は映像や音声を扱う会社をやっていて、業界のほかの会社ともつながりがある。最初は俺のオーディションを邪魔する程度だったけど、五年前は殺す一歩手前のことまでしたわけ。父がモデルの仕事が取れたのに激怒して、言うことを聞かない息子なら死んでもいいって言ったらしいよ」

　まあそれはどうでもいいんだけど、と花南は言い、瑛介はジャケットをかきあわせた。

自分の家だって幸せいっぱいの円満な家族だとは思わないが、花南のところは常軌を逸している。――花南は、どんな思いで、育ってきたのだろう。

「結局俺は足を骨折しただけですんだから、戸羽は父さんに叱責されたらしいよ。それで半分自発的に、俺が東京に出てきてからもいやがらせをちまちましてたんだけど、楓くんと出てるドラマで父がまた怒り狂ったもんだから、最近鬱陶しくて」

「ぼくが前に話したでしょ。現場に来てる制作会社の人間が脅すような真似をしたりとか、女の人が色仕掛けしてきたりとか」

楓が口を挟んで、瑛介はカフェでその話を聞いたときの苦い気持ちを思い出した。

「……僕は、そういう話はもっと早くに、きみから聞きたかったよ」

彼の特別になりたかったと気づいたあとでは、強がる気にはなれなかった。

「きみにだけは、適当に扱われたくなかった。疎外されるのには慣れてても、花南は僕のこと好きだって言ってくれたから――きみにとって、僕が一番近しい人間でいたかった」

「瑛介さんは、俺にとって唯一大事な人だよ」

花南は身体ごと瑛介のほうを向き、そうっと手を握った。

「前も言ったけど、どうでもいいと思ってるから話さなかっただけ。戸羽と戸羽が雇った人間のいやがらせなんてたいして実害ないし、相手にするだけ馬鹿らしいでしょ。でも、楓くんに言われて気がついたんだ。放っておいて、もし自分の恋人にも被害があったらどうするのって。その直後に、弟が訪ねてきた。……覚えてる？」

　優しく覗き込むようにして聞かれ、頷く。

「あのとき、瑛介さんが弟のこと気にしてて嫉妬したけど、弟から話を聞いた時点ですごく腹が立ってたんだ。父さんが瑛介さんのことも嗅ぎつけてるって言われたから。瑛介さん、変な電話がかかってきたり、あとをつけられたりしなかった？」

「あ――電話」

　言われて初めて、思い出した。いつだったか、名乗らない男性から電話があったと、アシスタントが言っていた。あのあと再びかかってくることもなく、完全に忘れていた。

「……あれも、お父さんが？」

「電話をかけたのは戸羽だったみたい。でも、許せないでしょう？　父が瑛介さんの名前を知ってるだけでも、埋めたいくらい腹が立つもの」

　さらりと物騒なことを言って、花南は瑛介の手を握り直した。

「だからまとめて片づけることにしたんだ。戸羽も、父もね。瑛介さんが顔を殴られたりしてって心配してくれたときに、父とはきっぱり決別してきてるし、戸羽のほうも追い払うだけじゃなくて、ちゃんと手は打ってあるから、もう心配しなくていいよ。週刊誌にわざと話させたのも、父に勘当するって言わせるためだから」

　額にかるく口づけて、花南はにっこりと微笑む。きらきらと輝くアースアイはまっすぐで、うっかり信じたくなるような綺麗さだったが、瑛介は唇を引き結んだ。

「事情はわかったよ。でも、花南が好きなのは、相性のいいセックスの相手だろう」

「そんなことないよ。俺は瑛介さんの全部が大好きだって、知ってるでしょう？」

「口ではなんとでも言えるよね。僕が心配しようが、傷ついてようが、二言目にはプレイのことしか言わないくせに」

一番傷ついたのは花南の態度なのだ。甘い言葉だけに騙されることは二度とすまい、と決意を込めて花南を睨むと、彼は拗ねたように頬を膨らませた。

「だって、セックスのときじゃなきゃ、瑛介さん甘えてくれないじゃん」

「……甘えてただろ。家には泊まりに行ってたし、食事だってよく花南が作ってくれた」

なんで僕が責められなくちゃならないんだ、と言い返せば、花南は「ほら！」と声を張り上げる。

「瑛介さんが言ったのは、俺がそうしてねって頼んだことか、勝手にやったことでしょ。料理だって、瑛介さんのほうが上手だし。仕事もちゃんとしてて、会社にＤｏｍがいるのに俺を頼らないし、俺は撮影のことで弱音を言って励ましたりしてもらってるのに、瑛介さんは傷ついたときも言わないんだもん。楓くんの誕生日会のとき、いやなことあったでしょ？　見るからに悲しい顔なのに、それでも言わなかった。でもしょうがないよね、俺は年下で、全然あなたの好みじゃないもの」

「……」

「だから、少しでも役に立ちたいって思ったら、命令してエッチして、ダイナミクスを安定させてあげるくらいしかできることがないんだ」

悲しげになじる口調で言った花南の目からは涙まで溢れ出し、瑛介はあっけにとられて「そっちこそ」とは言えなくなった。

なんでも話していたのは瑛介のほうで、花南は個人的なことには踏み込まれたくないのだと思っていた。だが思い返せば、花南だって、彼自身のことはちゃんと話してくれていた。言わずに拒絶したのは、どれも家族がらみのことばかりだ。

「セックスでしか役に立てないのに、瑛介さんてば俺のこと好きじゃないとか言って突き放すから、すごく苦しかった。俺のこと好きになる努力もしないで、ほかの男を探しに出かけたりして……瑛介さんを一番愛してるのは俺だってわかってほしかったんだ。花南も悪くないなって、こいつがいいなって思ってほしくて、だから楓くんにも協力してもらったんだよ」

花南はほろほろと涙をこぼしている。困って視線を向けると、楓は頷いた。

「そもそもぼく、花南くんに恋なんてしてないんだ。でも、前からえいちゃんのことが好きだっていうのは聞いてたし、本気だってわかったから、うまくつきあえてえいちゃんのこと幸せにしてもらえるならいいなって思ってた。だから『瑛介さんが俺のこと、なかなか好きだって思ってくれない』って相談されたときに、やきもちやかせるのはどう？　って提案したんだ。ぼくが花南くんのこと好きなふりをしたら、えいちゃんも素直になれるかなって。えいちゃんお人好しだから、演技でも絶対騙されるし」

「……だ、騙されるとか言うな」

さりげなく悪口を言われた気がして睨んだが、楓はじとっとした目で睨み返してくる。

「花南くんは、『瑛介さんはきっと俺のことなんか好きじゃないって言うよ』って心配してたけど――まさか花南くんの言うとおりになるとは思わなかった。ややこしくなったのはえいちゃんのせいでもあるからね」

「なんで僕のせいなんだ」

「えいちゃんがあのとき素直になってくれればよかったんだ。そしたら花南くんだって、わざわざ戸羽みたいな男にちょっかい出させて、本当は誰が好きなのか気づいてもらう、なんていう変なアイディアは思いつかなかったと思うよ？」

「……僕のせいじゃないだろ」

むっとして言い返したものの、泣き続けている花南を見ると、強くは言えなかった。花南は流れ落ちる涙を拭うこともなく、ただ瑛介の手を握りしめて「ごめんなさい」と呟いた。

「せめてセックスだけでも、俺とするのが一番いいって気がついてほしくて……でも、戸羽に触られてるの見たら、俺のほうが我慢できなかった。俺の大事な瑛介さんを、汚されたくなかったんだ」

「――」

「好きすぎて、自分で立てた計画もうまくできないなんて、みっともないよね……」

子供みたいにしゃくり上げる花南に、きゅっと胸が捩れた。

誰も太刀打ちできないようなグレアを持つ恵まれたＤｏｍが、平凡なＳｕｂの前で詫びながら泣いている。瑛介を好きだと言って、愚かな真似をしでかして、あげくに自分で耐えきれずに計画をひっくり返して、手の内をさらけ出して。

馬鹿だ、とは思うが、おかげで花南も人間なのだという気がした。きっと、こんな方法しか思いつけなかったのだろう。誰しも、本気で好きになったことや不安になったときは、愚かな方法を取ってしまうことがある。常に賢く最善の方法を選べるなら、誰も失敗しないし後悔もしない。

「そんなに……僕が好き？」

「好きだよ！」

叫ぶように、訴えるように、花南は言った。

「大好きで、俺のものになってほしくて、我慢できないくらい会いたかった。おかしくなるくらい好きじゃなかったら、航空券で名前を見たからって調べたりしないし、行きつけのバーに通いつめてアルバイトにまで入ったりなんかしないもん」

「……玉木先輩のとこで働いてたのも、僕のため？」

「ほかに理由なんてないよ。だって好きだから。瑛介さんのためなら、俺はなんだってする」

花南はぎゅっと抱きついてくる。

印象的な単語を使ったわけではない。その気になれば誰でも言えそうな台詞だった。けれど、なにもかも打ち明けてくれたあとだからだろうか――今までで一番、飾らない花南の本音に触れた気がした。

ごめんなさい、と声を震わせる花南の背中を、瑛介は抱き寄せた。ぽんぽんとなだめるように叩いて、頭に頬を押しつける。

「だいぶ馬鹿だよ、きみは」

「……そうだよね」

「馬鹿だけど、可愛い」

「――瑛介さん」

「きみ、ほんとに僕のことが好きなんだなあ」

これでほだされる自分は甘いのだろうか、と思わないでもないが、怒りもわだかまりも、花南の涙を見たら溶けてしまった。彼はこんなにも自分を求めているのだ、と感じると、いっそ誇らしささえ湧いてくる。おずおずと瑛介を抱きしめ返した花南が、大きく頷くのが肩に伝わってきた。

「うん、大好き。愛してる。人生でこんなに愛せる人は、瑛介さんしかいないと思う」

「未来のことはわからないけどね」

「そんなふうに言わないで。絶対あなたに飽きたりしないから。ずっとそばにいるから」

身体を離して瑛介を見つめ、涙でぐしゃぐしゃの顔のまま、花南は着ていたハイネックのカットソーを押し下げた。隠されていた首筋があらわになり、目が吸い寄せられる。

そこには黒い首輪がはめられていた。花南はゆっくり外してみせる。

「瑛介さんがつけるのいやだって言ってたから、俺がすることにしたんだ。内側に瑛介さんの名前が鏡文字で刺繍《ししゅう》してあって——ほら、見て」

うなじが差し出され、瑛介はくっきりと残る跡に息を呑んだ。

赤い、「ＥＩＳＵＫＥ」の文字。

所有を主張するかのような跡に、一抹《いちまつ》の申し訳なさと、どうしようもない喜びとが、ゆっくり込み上げてくる。

「首輪を外したら二十分くらいで消えちゃうけど、ずっと首輪をしておけば、あざになるんじゃないかと思ってるんだ。タトゥーみたいに、俺の身体に瑛介さんの名前を残しておきたい。俺は瑛介さん以外はいらないもの」

「……」

「だから、お願いです。もう一回、俺をあなたの下僕にして。信じてもらえるまでなんでもして、尽くすから」

「……Ｓｕｂみたいなこと言うね」

「違うよ、Ｄｏｍだからだよ。ＤｏｍはＳｕｂのためになにかしてあげてないと、生きていけない人間なんだ」

花南はベッドからすべり下り、瑛介の前に跪いた。プロポーズのように――忠誠を誓う騎士のように、うやうやしく足に口づける。

「あなたを、愛させて」

「――――うん」

胸がいっぱいで、瑛介は短い返事しかできなかった。

花南が馬鹿なら瑛介だって馬鹿だ。花南がちゃんと愛してくれていると、何度も感じたはずなのに、不安になったり、素直になれなかったりした。三年前にバーで隣に座ってくれたときから、どこかで花南に惹かれていたくせに、一度も自分から手を伸ばさなかった。

もう認めてもいい。花南が家族の話をしてくれないと思ったときも、蚊帳の外に置かれているようで寂しかったのも、セックスしか用がないのだと傷ついたのも――花南のことが好きだったからだ。彼の前で泣いてもいいと思えたことも、尽くしたいと言われて嬉しかったのも、恥ずかしい命令や行為を受け入れられたのも全部、花南を好きだから。

あと少し早くに認められていたら、花南を傷つけることもなかった。

「泣かせてごめんね、花南」

じっと頭を下げている花南の髪を撫でると、彼はぱっと顔を上げた。

「全然平気。瑛介さんが好きになってくれるなら、百回泣かされたっていいよ」

「それじゃ僕がひどいやつみたいだろ。……そんなには、泣かさないよ、たぶん」

「瑛介さん優しい。好き……大好き」

花南が下から伸び上がるように抱きついてきて、重みでベッドに倒れ込む。犬みたいな仕草で首や額にキスされて、やっぱり花南の唇は気持ちがいいな、と思って目を閉じかけた。

「じゃ、ぼくは帰るけど」

楓の声に、そういえばまだいたんだった、と慌てて目を向けると、立ち上がった彼は呆れた顔つきだった。

「あのねえいちゃん。一応アドバイスしとくけど、花南くんて役者でもあるから、泣くのとかいくらでも演技できるんだよ」

「ひどいな、俺が嘘泣きしたって言うの？」

瑛介を抱きしめたまま花南が眉根を寄せる。

「楓くんだって、俺がどれくらい瑛介さんに本気かはわかってるでしょ」

「わかってるから、えいちゃんがいいならぼくはいいけど！　でも、えいちゃんを泣かせたりしたら許さないからね」

「もちろん、泣かせないよ。ベッドの中以外ではね」

腰に手を当てて目をつり上げる楓に花南は自信たっぷりに言い返し、瑛介は焦って腕を叩いた。

「馬鹿！　余計なこと言うなってば」

「余計なことって？　ああ、瑛介さんがＳｕｂで俺がＤｏｍなこと？」

「そうじゃなくて」

ベッドの中とかそういうことだよ、と言いかけて、瑛介は赤くなった。ダイナミクスはともかく、ほかにも楓に知られたくないことをいっぱい口にしてしまった気がする。

恥ずかしい――けれど、不思議と後悔は湧いてこなかった。楓は瑛介と目があうと、諦めたように肩を竦めた。

「ぼく、えいちゃんの恋人はもっと紳士で優しい人がよかったから、花南くんみたいな自分勝手で腹黒いタイプはあんまりおすすめしたくないけど、もしかしたらえいちゃんにはこれくらいがぴったりかもしれないなっていう気もしてきたから、これからも応援はするね。でも、なにか困ったことがあったら相談して。えいちゃんが思ってるよりずっと、ぼくはえいちゃんのこと好きだから」

いつもの甘えたような口調とは違う、なんだか理知的にさえ聞こえるトーンに、瑛介はぽかんと見つめてしまった。まさか、こんなに真面目に「好き」と言われるなんて思いもしなかった。

「……ありがとう楓。でも、いろいろ思い過ごしだと思うよ」

腹黒かったら今日みたいな失敗だってしないだろう、と思いながら花南を見れば、彼は何度も頷いた。

「俺はただ、瑛介さんのことが大好きなだけです」

「大好きじゃなかったら許してあげてません。――まあ、今夜はごゆっくりどうぞ」

ぼくってば貧乏くじじゃん、とぼやきながら楓が出ていく。後ろ姿を、瑛介はちょっぴり感動しながら見送った。

「楓、ずっと能天気で子供だと思ったけど、なんだか急に大人っぽくなったなぁ」

「――瑛介さんのそういうちょろいとこ大好きですけど、楓くんを好きになっちゃだめですよ」

「ちょろいってなんだよ、失礼だな」

「変なところで純粋すぎるんです、瑛介さんは」

真顔のまま、花南は瑛介の胸に手を押し当てた。

「大事な従弟かもしれないけど、恋していいのは俺だけですよ？」

「楓を恋愛対象だと思ったことなんか一度もないってば。苦手だったんだぞ」

苦笑して、瑛介は花南の首筋に腕を回した。素直になろう、と内心で言い聞かせる。

「……下僕にしてやってもいいって思うのは花南だけだし、王様扱いされるのが嬉しい相手も、おまえだけだよ」

慣れなくて、つい声がぶっきらぼうになる。花南はきらりと目を輝かせて、鼻先をくっつけた。

「それって、どういう意味ですか？　ちゃんと言って？」

「――――好き、だよ」

たぶん初めて、心から好きになった相手だ。相手に「特別」にされるだけでなく、自分が相手をかけがえのない存在だと思う、初めての人。

愛してる、とつけ加えるかわりに、瑛介はそっと唇を押し当てた。

じゅぷ、と音をたてて親指に吸いつかれ、瑛介は踵《かかと》でシーツを蹴った。

「ねえ、もういいだろ……っ、舐めるの、終わりにしよう」

「だめ。瑛介さんが恋しかったから、たくさん舐めたい」

口を離した花南は、見せつけるように指に舌を絡める。裸になった彼の首には、黒い首輪がしっかりとはめられていた。力強く優美な身体で瑛介にのしかかり、手首をしっかり握って、指を美味《うま》そうに舐め回してはまたくわえる。見ていると自分の口の中にも指が入っているような錯覚がして、きゅっと舌の付け根が痛んだ。唾液が湧いて、もどかしさが喉を震わせる。

「――花南。……僕、も」

もうひと月以上、セックスしていないのだ。分身はぱんぱんに張りつめて反り返っていて、にゅるりと人差し指をしゃぶられながら、耐えきれず懇願してしまう。

「指……僕も、舐めたい」

ちらりと視線を上げた花南の顔が満足げに綻ぶ。唇を窄めてしっかりと指を吸ってから、「いいですよ」と瑛介の口に指を添えた。

「二本くわえてください。いっぱいよだれで濡らしてね」

「……っ、わか、……ん、ふ、ぅっ」

頷く途中で指を入れられ、瑛介は潤んできた目を伏せた。淡い塩気を帯びた花南の指はすらりとして見えるが、二本口の中に入ると太く、逞しく感じられる。指を曲げて舌を揉まれるとびくりと腰が跳ね上がり、またがった花南の股間と分身とが触れあった。

「——っぅ、んん……ッ」

「腰は振っちゃだめ。気持ちいいけど、瑛介さんすぐ達っちゃうでしょう？　我慢して、お汁いっぱい出るとこ見せて」

　ぺろぺろと瑛介の中指を舐めながら、花南はねだるように命じた。ふわっとグレアが溢れてきて、瑛介はどきりとしてまばたきした。花南は唇ぎりぎりまで指を抜く。

「久しぶりなんだもん、瑛介さんにいっぱいほしがってほしい。——会わないあいだ、ちゃんとオナニー我慢してた？」

「……、うん。してない。そういう気分に……ならなく、て」

「ほんと？　俺としてたときは、週末やりまくっても足りないくらいでしたよね」

「してない……ほんとに、——一回もだ。具合悪くて……パーティで誘われた相手とも、全然勃たなかった」

「よかった。でも、そいつとも寝ようとはしたんだね。キスは？」

　かり、と中指をかじられて、腕がぴくんと跳ねてしまう。優しい声音でも、花南の目は笑っていない。グレアはずっと放出されたままだ。質問に答えさせることも、コマンドなのだ。

「……した、けど……き、きみだって戸羽に、僕を抱かせようとしただろ」

「いやだな、怒ってないですよ。もし瑛介さんが誰かに抱かれてても、俺のせいでもあるからお仕置きしたりはしません。――でも、それでも、いやだなって思うんです」

花南は長い睫毛を伏せて指を口から離し、瑛介の上唇をついばんだ。

「この綺麗な唇にほかの人間が触るのとか、やわらかくて優しい声をいろんな人が聞くのとか。喉が動くときすごく色っぽく見えるのも、怒ったときの表情が可愛いのも、意地を張ってることに他人が気づくのもいやです。――閉じ込めておけたらいいのに」

さわっと寒気に似たものが背を伝う。花南は下唇もついばんで、ひとりごとのように言った。

「瑛介さんに横恋慕するやつなんかいたら殺しちゃいたい」

「――花南」

「瑛介さんを傷つけるやつも殺したいし、握手だけでも触るやつは消してやりたい。身体も、声も、涙も、髪も息もなにもかも、瑛介さんの全部を俺のものにしておきたい」

不可能なことを思いつめた声で呟き、花南は強く瑛介を抱きしめた。

「俺の全部をあげるから、あなたの全部を俺のものにしたいよ」

「花南」

ああ、と喘いでしまいそうだった。焼けつくような強さで求められるのが、こんなにも嬉しい。あたたかい花南の背中を撫でると、幸せだ、と思えた。

「僕は全部、花南のだよ」

いつまでも同じように愛しあうとか、夢みたいな甘い恋は現実には難しい。でも、一生に一度ならできるかもしれない、と今なら言える。たったひとり、どうしても手放したくない相手なら。

「つきあったこともセックスしたこともあるけど、よく考えたら、僕から好きになって、どうしてもそばにいたいって思ったことはなかった。だから、好きになったことがあるのは花南だけだ」

「……俺だけ？」

「うん。——だから、心は全部、きみのものだ」

ぱっと覗き込んでくる花南の髪に指を通すと、彼はしばらく表情を選び損ねた顔で見つめたあと、貪るように口づけてきた。

「ふ……っん、む、……ん、ぅ……っ」

「瑛介さん、好き」

「っは、ぁ、……ん、ん……っ」

「今日は、瑛介さんがちゃんと俺を好きだって認められた記念に、恋人とするセックスがどれくらい感じちゃうか教えてあげるね。気持ちよくなれるコマンドをたくさん出すよ。瑛介さんがとろとろになって、安心して、幸せになれるように」

顔を撫で回すようにして幾度もキスされ、口の中をかき回されると、懐かしい快感がいっぱいに広がってくる。あたたかくて分厚い花南の舌は、どこに触れてもひりひりするほど気持ちがいい。つ、と上顎を撫でられれば腰がゆらめいて、花南がキスをやめた。

「射精は、俺がいいって言うまでしないで」

「……っ、そん、な」

「もちろん、もう我慢できないって思ったらおねだりしていいですよ。でも、我慢汁垂れ流すのも好きでしょう?」

ひたりと胸に手のひらが当てられて、鈍痛に似た快感が乳首から走った。勝手に腰が浮き、性器が花南の雄とこすれあう。尿管にもびりびりと快感が芽生え、泣くような声が出た。

「っや、……ぁ、で、ちゃうっ」

「うん、もう濡れてるね。でもまだ我慢して」

「う……ん、む……ぅっ」

ぐちゅ、と指を三本押し込まれ、頭の芯が溶けたように熱くなった。指だけでなくグレアまで口の中に入れられたみたいに、甘く、重たく感じる。ぐにぐにと舌を揉まれると極彩色の光が視界に舞って、喉がみっともない音をたてた。

「んぐ……っん、……い、ん、ぐ、ぅ……っ」

「達きそう? おっぱいもつまんだら射精しちゃうかな。ここ、気持ちよくなれるって俺が教えたところですよね」

左手の指をしゃぶらせたまま、花南は右手で胸を撫でた。からかうように乳輪をなぞり、ぶるぶる震える瑛介を見つめながら、ゆっくりと指でつまむ。

「――っ、ん、んんん……っ」

達っちゃう、と思うと、あっけなく涙が出た。目尻からいく筋も流れていく涙に、花南が嬉しげに微笑む。

「瑛介さんの泣き顔大好き。普段と違って頼りなくって、抱きしめたくなっちゃう」

「っ、ふ、……ぁ、ん、んぐ、……っぅ」

「達くの我慢してる顔も好き。すごく綺麗で、ずっと見てたい」

「ん、……っ、うーーっ」

指を三本揃えた塊が根元まで突き入れられて、口全体が痺れた。よだれが唇の端からこぼれて、それまでが気持ちいい。喉も、手も、腹も震えがとまらないのは、今にも達してしまいそうだからだ。もう我慢できない、と告げたくて首を横に振り、涙で濡れた目で見上げると、花南の目がすうっと暗さを増した。

「もう許してって懇願したいときの顔も好き。――出したい？　ぶしゅって射精するとこ、見せてくれる？」

「ッン、……ぅ、んっ」

今度はかくかくと頷くと、花南は陶然と微笑んだ。

「ちゃんとおねだりできて偉いね。じゃあ、腰を自分で振って出そうね。精液はたっぷり飛ばして、俺にマーキングして」

そんなのできない――と思うのに、くらくらするほどの喜びと期待で胸がいっぱいになった。コマンドを出す花南の声は甘くしたたるようで、肌が濡れていくような気がした。

枕を握り、ブリッジするみたいに腰を突き上げ、花南の下腹に分身をすりつける。弾む性器と性器がこすれあうとたまらない刺激が生まれ、いくらもしないうちにきゅうっと陰《いん》嚢《のう》が締まった。

「達くときはちゃんと、達くって言ってからだよ」

花南が釘をさすように命令してきて、瑛介は尻を振りながら喘いだ。

「っ、ぁ、……い、いく、出る……っう、……ッ！」

言い終えるより早く弾ける感触が襲い、身体がしなった。目を閉じて喉を反らし、瑛介は精液を撒き散らした。

勢いよく放たれた白濁が、花南の腹を汚していく。三度放出して出なくなっても、何度も電流めいた余韻が襲ってきて、瑛介はひくひくとつま先を震わせた。

――死にそうに、気持ちいい。

花南とするセックスは、どうしようもないくらいに気持ちいい。

「気持ちよかったですね、瑛介さん。コマンドどおり、いっぱい出せたもんね」

花南は自分の腹にかかった精液を拭ってみせた。

「濃いのが出て嬉しいな。次はお尻を舐められながら甘イキですよ」

「……な、める……の？」

「好きでしょ？　舌で足りなくなったら、おねだりしてください。いいね？」

グレアがぐっと膨れ上がる。肌がたちまち粟立って、瑛介は浅い呼吸に胸を上下させた。熱と重み。見据えてくる花南の瞳は普段より暗い色に輝いていて、唇が弓なりにつり上がるのが見える。

勝ち誇って悠然とした、雄の顔だった。

「脚を抱えて、孔を丸出しにして」

「……っ、ぁ、……っ」

いやらしいコマンドに、羞恥と同じだけ喜びが込み上げる。瑛介は従順に膝をひらいた。太腿を摑んで子供の放尿みたいな格好を取り、押し込まれる指を受け入れる。

「は……っ、ぁ、……っ」

「久しぶりなのに、やわらかいね。ずるずるーって入っちゃう」

花南は小刻みに指を揺らし、粘膜をかきわけていく。一度根元まで入れると引き抜き、手のひらを下にしてまた入れた。左手で会陰を引っぱり上げ、じっと見つめながら顔を近づける。

「初めてのときより、ここ、ちょっと赤みが強くなりましたね。花みたいなかたちで、ひくひくしてます」

「や……み、見な、いで……っ」

視線にさらされた窄まりがかゆいように疼く。見られるのは初めてではないのに、たまらなく恥ずかしかった。戸羽の前では全裸になっても平気で、むしろ冷めた気持ちだったのに、ふうっと息を吹きかけられるだけで、また先走りが漏れてしまう。

「だめ……、また、達く、から……っ」

「見られるだけで達くの？　可愛いねえ。濡らしたら潮吹きしちゃうね」

花南は視線を瑛介の顔に向け、にこりとした。

「目の前で瑛介さんが噴いちゃうとこ見られるなんて嬉しいな。好きなだけ、びしゃびしゃになって」

「……っ、むり、……恥ずか、しい……っ」

「でも、出ちゃうよ。俺のコマンドだもの、瑛介さんは必ず従うんだ」

自信たっぷりに言い放った花南が、孔に唇を押しつけた。縦に引っぱってひらかされた中に舌がもぐり込み、くねくねと動く。

「ふっ……ぁ、……っん、は、ぁっ」

硬い指はそのままで、やわらかい舌だけが動くのがもどかしくも気持ちいい。花南は口を離すと広げた孔の中に唾液を垂らした。ぽたりと垂れ、孔をねっとりとふさがれる感触に、ぞくぞくぞくっ、と震えが駆け抜ける。

「……っ、ひ、……ん……ッ」

「ほら、潮吹きできたでしょう？　半勃ちでぷしゅぷしゅ、お漏らし気持ちいいね」

花南はあやすように言いながら、孔へのキスを繰り返す。舌と指とで浅い場所をかき回されると、垂らされた唾液がこぼれて、粗相をしたみたいにむずついた。危うく恥ずかしい感覚なのに、それが余計に快感を生む。再び唾液を流し込まれると、きぃんと耳鳴りがするほどの絶頂が訪れた。

「……っ、は、……ッ、ぁ……っ」

だらだらと透明な液体がとまらないのも恥ずかしくて、感じる。

「花、南……っ、も……、だめ、……っ」

「だめ？　終わりにしてほしいなら、セーフワードを使って？」

「ちが……、なか、……おく、……ッ」

ねっとり舌を押し込まれてまた絶頂に見舞われながら、瑛介は涙を流した。

「入れて……、つ、——突い、て」

「突いてほしいの？　奥の行きどまりのとこ？　それとも、もっと奥までずぽずぽされたい？」

追い立てるように、指が中を抉る。がくんと顎を上げて痙攣し、声を振り絞った。

「おく、……ずぽずぽ、……して……っ」

ほしくてたまらなかった。奥が疼く。腫れぼったくて焦れったくて、早く壊されてしまいたい。

入れて、ともう一度掠れた声で懇願すると、花南が感嘆のため息をついた。

「何回聞いてもいいね、瑛介さんのおねだり」

唇を舐め、花南が己に手を添えた。屹立《きつりつ》し筋の浮いたそれを焦らすように股間にすりつけて、窄まりにあてがう。丸くてなめらかな亀頭の感触に襞が自然と締まったが、はばむというより受け入れる動きだった。

「ぁ、……ふ、……ぁ、あ……っ」

硬い肉棒が今までになく太く感じられる。みっしりと占領されていくのにあわせて、肉の筒が溶けていきそうで、か細い声がこぼれ落ちた。

「や……お、おっき、……ぁ、……う……」

「おっきいの好きでしょ？　中とろとろで、全然力入ってないもの」

びく、と跳ねる瑛介の身体を、花南がしっかりと押さえつけた。

「これなら奥も気持ちよくなれるね。瑛介さんがだめになっちゃうまで、今日はいっぱい突いてあげる」

「んっ……あ、待っ、ぁ、……ッぁ、ぅ、ん……ッ」

じっくりと、しかし確実に、花南の分身が奥まで埋まってくる。切っ先はごりごりと内壁をけずるかのようで、こんなだったっけ、と混乱しそうだった。大きいし、硬くて熱くて——重い。

「く、くるし……っん、ぁっ、……ん、ぁああっ」

ずん、と奥壁が突き上げられ、ひしゃげる苦しさに気が遠くなった。意識するより早くびしゃりと漏らす感覚が襲い、下半身が生あたたかく濡れていく。

「ぅ……あ、……と、とま、らな……ぁ、ああっ」

「いっぱいお潮出るね。俺が動くとじょーっと出ちゃうね」

奥壁を捏ねるように刺激しながら、花南は濡れた瑛介の腹を揉んだ。

「達き潮気持ちいいねえ。おなかひくひくして、達きっぱなしかな?」

「だ……ッ、それ、だめ、ぁ……っ、は、ぁ……ッ!」

太い雄でいっぱいの腹を揉まれるのは痛みを伴う快感だった。よりはっきりと異物を体内に感じて、きつく腰が反り上がる。なおも揉みながら突き崩されると、かあっと視界が赤くなった。

「——っ、は、……っ、——ッ!」

空に放り出されるような浮遊感とねじれるような痛痒《つうよう》が同時に身体を包む。窄まりがきつく締まって花南を食いしめてはゆるみ、最後には震えて脱力した。股間からぽたぽたと垂れる液体を、花南は塗りつけるように撫でた。

「思いきり達っちゃったね。俺はまだなのに、こーんなにびちょびちょにして」

「……だ、って……、あんなの、がまん……できな、……」

視界はまだ明滅していた。息は荒く、声はまともに出ない。花南は瑛介の左脚を抱え上げながら、幸せそうに頷いた。

「うん。我慢しないで。瑛介さんが達くと、俺もすごく気持ちいいから――でも次は、一緒に達こうね」

「――う、ん」

「この奥、何回も出し入れするから、明日は少しつらいかも。それでもいい？」

「うん……いい」

「種つけも、手加減しないからね。今日だけじゃなくて、明日も明後日も、出なくなるまで瑛介さんの中に出すよ。おなかの中に俺の精液がないと悲しくなるまで、毎日抱く」

見下ろす目は欲望でぎらつくほどなのに、表情は甘やかだ。それを見ると力の入らない身体が、いっそうゆるんでいく気がした。

「うん。――し、て」

もっと言われたかった。優しげでありながら切実な、懇願する花南の声音が、ぞくぞくするほど嬉しい。

ぐっと力がかかって、奥壁が圧迫される。ねじれて細くなった箇所をこじ開けて切っ先が進むと、破けるような痛みが広がった。じりじりと炙られるのにも似た、裂かれていく錯覚に、すうっと気が遠くなる。

「い……っぁ、……ぅ、……っ」

「やっぱりここは苦しいよね。指くわえていいよ」

一度引き、花南は瑛介の唇を撫でた。そっと歯にあいだに指が入り込み、瑛介は反射的に唇を窄めた。長くしっかりした指にかき回されて、じんとした快感が広がっていく。心地よさにゆるんだ隙を狙って、瑛介は再び突き入れた。

「——ッ、ん、あ、ぁ、あ……っ」

「ん……上手だよ。狭いけど、ぬるぬるになってる」

揺すり上げるように腰を使い、花南はうっとり目を細めた。

「口もかき回してあげるから、もっとだらしなく、全部ひらいて」

「は、……ん、……ぁ、あ……っむ、ん、ぅ……っ」

「好きって言って」

ぬぽ、と抜き、ゆっくりと押し込んで、花南は濡れた指で唇を撫でた。

「大好きって言って、達って」

「……ぁ、……あ、あ――」

緩慢に抜き差しされる快感に、意識がぐらぐら揺れた。花南のグレアが息苦しいほどのしかかってくる。淫らなコマンドはまるで愛の言葉だ。命令でありながら求めるようで、どこまでも深く瑛介を満たしてくれる。

性器と一緒にグレアが腹の中まで入り込んだようで、最奥を穿たれるとだらりと潮が漏れた。痙攣する腹と性器に目を向け、花南はうっとりと目を細めた。

「えっちで可愛いけど、甘達きじゃなくて、思いきり達って」

「ん……、い、いく、から……っ、ぅんんっ……」

ぐちゅりと指が口を犯して、同時に腹の奥も突き上げられる。ちかっと目の奥で光が弾け、弱い絶頂の感覚であちこちが痺れた。手足がばらばらになったみたいに、どこも自由がきかない。口と尻の孔とをかき回され、瑛介は声を絞り出した。

「……す、き」

言いながら、溢れるように涙が流れるのを、いっそ爽快に感じた。

「すき……、花南……っ、好、……ん、――ッ」

ずっぷり入ってくる指と性器で、全身が一瞬強張る。小刻みに震える体内を指と雄の硬さが貫いて、なすがままに揺さぶられた。

「す、き……ぁ、……っ、好、あ、……っ、あぁ、……っ」

「俺も好き。……もっと達って。好き」

熱い。重くて、苦しい。暴力的なほど執拗に突かれるたびに、振り子のように意識が遠のいては快感に溶ける。達しているのになおも追い上げられては落とされるかのような、甘い責め苦だった。

花南は徐々にスピードを上げる。結合部がぐしゅぐしゅと水音をたてた。は、と苦しげな息を漏らした花南が、口から指を引き抜き、両手で瑛介の腰を掴む。

「――二度と、離さないから」

ひときわ強く打ちつけられて、がくん、と頭が揺れた。そのまま激しく揺さぶられ、声も出せずに身体がしなる。

「――――っ、――……ッ！」

「……っ、く、」

感電したかのような強烈な感覚に震えながらも、かすかに、花南の呻きが聞こえた気がした。ゆっくりと濡れたものが広がり、腹が重たくなったのも気のせいかもしれなかった。

それでも抱きしめてくる花南の腕の強さははっきりと感じ取れ、これだ、とぼんやり思う。

ずっとほしかったのは、ただの快楽でも、Ｓｕｂとして満たされることでもない。

ほかの誰かと比べて特別に、愛されることでもない。

ほしかったのは――好きだと思える人と、なにもかもわけあって愛しあうことだった。

　写真の花南は意味深な笑みを浮かべて、さらした首筋にはめられた首輪に触れている。

一緒に投稿された文章は「愛する人、Ｅのためにつけています」となっていた。

（頭文字を言っていいとは許可してないぞ……）

「めちゃくちゃ話題になってますねえ、それ」

　瑛介の手元を覗き込んだ中村が、ため息まじりに頬を押さえた。

「秋からこっち、話題独占って感じでしたけど、今回の写真が一番衝撃で、一番萌えます」

「……萌えるの？」

「だって、素敵じゃないですか？　花南くんＤｏｍなのに、自分のほうが惚れていて傅く側だからって、首輪までつけちゃうんですよ。いいなあ、私もこれくらい愛されてみたい」

　頬を押さえたまま中村はくねくねして、瑛介は小さく苦笑した。

「僕の友人は願い下げだって言ってたよ。ここまでされると怖いって」

「そのへんは個人の好みですからね。私ならきゅんとしちゃいます」

冷静に頷いてみせたあと、中村は思い出したように首をかしげた。

「そういえば、神奈木さんは束縛されるの好きでしたよね？　やっぱり、花南くんみたいに首輪してあげようかな、みたいになります？　それとも相手につけてほしい派？」

「――ノーコメントです」

思わず赤面しそうになって、瑛介はスマートフォンをポケットに入れた。

「僕は今日はこれで」

「はーい、お疲れ様です」

聞き足りなさそうな顔をしながらも、中村は手を振ってくれる。デスクにいる加藤にも目礼をして会社の外に出ると、一月の風が冷たく吹きつけた。早々に暮れた空には金色の星がまたたいているが、心なしか、西のほうには明るさが残って見える。これから寒さは増すが、日は長くなっていく季節だ。今日見たばかりの広告の映像を思い出し、つい笑みが漏れる。あれが街中を飾るころにはもう春だ。春には花南に関する話題も、明るいものだけになっているといいなと思う。

十一月の撮影のあと、花南と瑛介が正式に交際をはじめてから数日後に、花南は父親と決別したと報じられた。一時は親子関係の泥沼化でしばらくは話題が続くかに見えたが、直後には別の大物芸能人に関するニュースが飛び出して、世間の関心は一気にそちらへと流れた。年末には父親とあの戸羽が、それぞれ別件で逮捕、起訴されたのだが、なにか働きかけがあったのか、事務的な報道がなされただけで、週刊誌の記事になることはほとんどなかった。

かわりに盛り上がったのは、花南のダイナミクスの公表だった。ゴシップ記事でそれとなくばらされていたが、本人がはっきりとＤｏｍだと言い、同時に「今は大切なパートナーがいるので、彼のおかげで安定しています」とも宣言したのだ。

それがごくあっさりとしたＳＮＳでの公表だったためか、瑛介が心配したほど花南の人気が落ちることがなかったのは幸いだった。

直後には楓も出ているドラマがスタートし、二週目になっても高い視聴率を保っている。

（今朝の首輪の写真が、話題作りだって思われなきゃいいけど）

花南にはどうにも、刹那的なところがある。父親のことも、彼が逮捕されるように情報を警察に提供したりしていたらしいのだが、自分の人気が落ちて仕事が減る危険だってあったのだ。両親は結局離婚になり、弟の親権は母親が持つことになったが、母たちとも花南は絶縁状態だった。

それだけでも寂しいことだと瑛介は思うのだが、花南は後悔していないと言いきった。

「だって、瑛介さんのほうが大事なんだもん。血がつながってるだけの人間より、瑛介さんと新しく家族になれたほうがいいし、仕事なんてまた頑張ればいいんだし、ほかの業種に転職してもいいでしょ」

「でも、ファンだった人にがっかりされて、悪く言われるかもしれないだろ」

「嫌われるときはなにしても嫌われるんだから、気にしてもしょうがないよ。顔も知らないファンより瑛介さんのほうが大事。——何回瑛介さんが一番だって言えば信じてくれるの？」

最後には悲しい顔をして「俺のこと嫌い？」とまで言われて、ダイナミクスの公表と、首輪をつけた写真の公開も了承したのだが。

（……ちょっと、厳しく言ったほうがいいよな。もっと仕事とか、自分のことも大事にしろって）

今日こそ甘えられても有耶無耶にしないぞ、と決心しつつ、向かったのは玉木のバーだ。ドアを開けると、中にはもう花南と楓が揃っていた。花南が飛びついてくる。

「おかえり、瑛介さん。誰にも色目使われなかった？」

「使われないよ。そんなこと毎日聞くなよ」

ん、と頬にキスしてくる花南をかるく押しのけると、楓がロングカクテルを片手に目をすがめた。

「へーえ、毎日聞いてるんだ？　もう同棲《どうせい》しちゃってるの？」

「それがまだなんだ。申請するから引っ越してきてよって頼んでるのに、瑛介さん、いやだって言って……」

「引っ越したら住所変更を会社に出さなきゃいけないんだってば。公私混同してるって思われたくないから、あの広告の掲載期間が終わるまでは無理」

　カウンターにつくと、花南は隣に座って情けない声を出した。

「そんなに待てないよ。半年も先になっちゃう。心配で俺の胃に穴があいたらどうするの？」

「あかないだろ」

「ひどい……首輪の鍵ももらってくれないし……」

　花南はしょんぼりと俯いて顔を覆った。

「指輪も買ったのに……平日のエッチも禁止だなんてあんまりだよ。最近はコックリングもつけてくれないし」

「ばっ……へ、変なこと言うな！」

　慌てて花南の肩を掴んだが、遅かった。楓が「うえっ」と言いそうな顔をして、玉木はにやにやしながらウイスキーのグラスを差し出してくる。

「年下の恋人がいる生活、楽しんでるみたいじゃない？」

「――楽しんでないです。先輩も、からかわないで」

　むすっと膨れてグラスを受け取ると、花南がばっと振り向いた。

「まさか、俺に飽きたの？　もう嫌い？　もしかして、昨日帰りがけにキスしまくって達かせちゃったの怒ってる？」

「っだから、そういうこと言うなって！」

「だって瑛介さんが好きなんだもん。大好きって言うだけじゃ足りないし、もっともっと俺と一緒にいたいって思ってほしくて……」

　せっかくの綺麗なアースアイには涙を浮かべ、瑛介の両手を握った花南は子犬のように首をかしげた。

「少しでも嫌いになったら言ってね。俺、また好きになってもらえるように、なんでもするから」

「……嫌いになってないよ」

　すがるように握りしめてくる花南の手を握り返して、瑛介は笑みを浮かべた。最近の花南はなんだかちっともかっこよくなくて、それがたまらなく愛おしい。年下は苦手だったはずなのに、花南に甘えられると、ひどく満たされた心地になれた。なにしろ、花南にとっても、瑛介は初恋の相手らしいのだ。親兄弟にさえそっけない花南は、瑛介といて初めて「寂しい」と思うのだそうだ。会えなくて寂しいって思うのは瑛介さんが初めて、と言って抱きしめられたら、たいていのことは許してやりたくなってしまう。

　寂しい気持ちは、瑛介にもよくわかるから。

「僕が好きなのは花南だけだよ。わかってるだろ」

額をくっつけて囁くと、花南の顔がほっとゆるむ。控えめな仕草で鼻先にキスしてからそっと抱きしめられて、仕方ないよな、と瑛介は思った。花南は、瑛介だけのＤｏｍなのだ。ベッドの中でコマンドを受けるのは瑛介でも、普段の生活で甘やかしてやるのは、自分のつとめだ。

ぽんぽんと背中を叩きながら湧いてくる愛おしさを噛みしめていると、うわぁ、と玉木が呻いた。

「舌を出したわ、この子……」

「腹黒いんだよ花南くんは」

楓が投げやりに応える。

「ぼく、えいちゃんはちょっと考え直したほうがいいと思う」

「そうね……でもあたしは、瑛介にはぴったりな気もするわ。これくらいの男じゃなくちゃだめなのかも」

「二人とも、なんの話？」

動画でも見て話しているのかと、意味がわからず振り返ると、気にしないで、と花南が抱きしめ直してくる。

「瑛介さん、キスしましょう。瑛介さんは俺だけの王様だから、外野は無視していいんです」

ふわりとかるいグレアを感じ、瑛介は腹の奥に甘い熱を感じて頷いた。玉木と楓の前でもかまわない、と思えるのが嬉しい。人の目よりも花南の願いを優先できる自分が、瑛介は前よりも好きだ。いかにも浮かれた男だけれど、みっともない、とは思わない。むしろ、彼に愛される自分なら、見られてもいい気がするのだ。いずれは、会社でもダイナミクスと、パートナーが花南だと打ち明けるつもりだった。

ずっとほしくて、ようやく手に入れた恋だ。少しくらい見せびらかすのだって悪くない。

あとがき

こんにちは、または初めまして。このたびは『僕は王様おまえは下僕』をお手に取っていただきありがとうございます。

文字面ではちょっときつい感じもあるタイトルですが、重たくないＤｏｍ／Ｓｕｂものので、関係性としてはけっこう甘めになっているんじゃないかなと思います。

もともとＳＭものがとても好きなので、Ｄｏｍ／Ｓｕｂはぜひ挑戦してみたい設定でした。今回念願かなって楽しく書かせていただきました。

たいていコマンドは英語のことが多いと思うのですが、本作はすべて日本語にしています。コマンドか否かがわかりにくかったり、Ｄｏｍ／Ｓｕｂっぽさが薄れてしまうかなと迷ったのですが、「えっちなシーンでえっちなお願いが全部命令」がやりたくて、結局日本語で統一しました。いかがだったでしょうか……。

Ｄｏｍ／Ｓｕｂ設定以外も、年下執着溺愛攻めとか、素直になれない頑張り屋さんの年上受けとか、せっかく現代ものなのでお仕事要素とか、明るく楽しい周囲の人たちとか、好きな要素をいろいろ入れてみたので、お好きな方に楽しんでいただけたら嬉しいです。えっちなシーンもここまで回数が多いのは久しぶりだった気がします。口内が性感帯、書くのは難しくもありましたが、すごく楽しかったです！　しっかりエロスな雰囲気になっているといいのですが。

　イラストは初めましての一夜一見先生にお願いすることができました！　目をひく素敵な絵を描かれる先生だなあとときめいていたので、ご一緒できて光栄でした。キャラフから色気が伝わってきてときめきがとまりませんでした……！　本文イラストではあんなシーンも！　皆様にもたっぷり堪能していただけたのではないかと思います♪
一夜先生、本当にありがとうございました。
たぶん諸々ご心配をおかけしてしまった担当様も、ありがとうございました。校正、制作、印刷、営業、流通、書店など、関わってくださった皆様にもこの場を借りてお礼申し上げます。いつもありがとうございます！

　読者の皆様も、ここまで読んでくださってありがとうございました。少しでも楽しい読書タイムをお届けできていますように。恒例のおまけSSを公開したいと思いますので、ブログやツイッターもチェックしていただけたら嬉しいです！
どこか一か所でも気に入っていただけていることを祈りつつ、また次の作品でもお会いできれば幸いです。

二〇二二年三月

葵居ゆゆ

葵居ゆゆ先生、一夜人見先生へのお便り、
本作品に関するご意見、ご感想などは
〒101-8405
東京都千代田区神田三崎町2-18-11
二見書房　シャレード文庫
「僕は王様おまえは下僕」係まで。

本作品は書き下ろしです

CHARADE BUNKO

僕《ぼく》は王様《おうさま》おまえは下僕《げぼく》

2022年4月20日　初版発行

【著者】葵居《あおい》ゆゆ

【発行所】株式会社二見書房
東京都千代田区神田三崎町2-18-11
電話　03(3515)2311[営業]
　　　03(3515)2314[編集]
振替　00170-4-2639
【印刷】株式会社 堀内印刷所
【製本】株式会社 村上製本所

落丁・乱丁本はお取り替えいたします。
定価は、カバーに表示してあります。

ISBN978-4-576-22042-0

https://charade.futami.co.jp/

CHARADE
BUNKO

今すぐ読みたいラブがある!
葵居ゆゆの本

本当は——ずっと、一生おまえといられたらって、思ってたよ

もふもふ雪神さまのお嫁入り

イラスト＝ミギノヤギ

人好きな雪の神たちは、眷属であるユキヒョウの姿を取って山を降りてくる——。山奥の村に住むウルマスは幼い雪神の子供を拾い連れ帰る。ユキと名づけられ、村人たちに崇め慈しまれて育ち、ユキはいつしかウルマスに恋心を抱くようになっていた。けれど彼はユキを神さまのもとへ返そうと提案してきて…!?